B

Gulliver Taschenbuch 170

Peter Härtling, geboren 1933 in Chemnitz, lebt in Walldorf/Hessen. Er veröffentlichte Lyrik, Erzählungen, Romane, Essays. Im Programm Beltz & Gelberg sind bisher erschienen: *Das war der Hirbel*, *Oma*, *Theo haut ab*, *Ben liebt Anna*, *Sofie macht Geschichten*, *Alter John*, *Jakob hinter der blauen Tür*, *Und das ist die ganze Familie*, *Krücke*, *Geschichten für Kinder*, *Fränze*, *Mit Clara sind wir sechs*, *Lena auf dem Dach*, das *Erzählbuch* (Peter-Härtling-Lesebuch) und das Bunte-Hund-Sonderheft *Peter Härtling für Kinder.* Neben anderen Literaturpreisen erhielt er den Deutschen Jugendbuchpreis (1976) und den Zürcher Kinderbuchpreis (1980).

Peter Knorr, geboren 1956 in München, studierte Kunsterziehung in Mainz, lebt als freischaffender Zeichner und Illustrator in Nierstein bei Mainz. Er illustrierte bereits mehrere Kinderbücher und veröffentlichte im Programm Beltz & Gelberg auch sein erstes Bilderbuch, *Der Wunderkasten* (nach einem Text von Rafik Schami).

Peter Härtling

Fränze

Roman

Bilder von Peter Knorr

Gulliver Taschenbuch 170

Programm Beltz & Gelberg, Weinheim

Reihenlayout und Einband von Wolfgang Rudelius
unter Verwendung einer Illustration von Peter Knorr
Gesamtherstellung Druckhaus Beltz, 69494 Hemsbach
Printed in Germany
ISBN 3 407 78170 9
3 4 5 98 97 96 95

Eins

Wenn Fränze was nicht paßt, wenn ihr jemand schräg kommt, ihr eine Laus über die Leber gelaufen ist, dann schneidet sie auf. Das kann sie ungeheuer gut. Da wächst sie über sich hinaus. Sie spürt das richtig. Falls sie gerade in der Sonne steht, kann sie es an ihrem Schatten sehen: Mensch, Fränze, der wird immer länger! Doch da schneidet sie schon wieder auf.

Immerhin hat sie grüne Augen, was selten ist. Immerhin kann sie so gut Geige spielen, daß sie bei den Schulkonzerten alleine auftreten darf. Immerhin hat sie eine Menge Freundinnen und Freunde. Und Johannes hat ihr schriftlich bestätigt, daß er ohne ihre Ratschläge nur halb so froh wäre.

Johannes ist ihr Vater. Sie nennt ihn Johannes, seit sie denken und sprechen kann. Weil es sein Vorname ist, und vielleicht, weil er aussieht wie ein Johannes. Das schwarze Haar mit den grauen Strähnen ein bißchen zu lang, und das Gesicht schmal und immer ein wenig zu blaß.

Ihre Mutter ruft sie nicht bei ihrem Vornamen, Sybille oder Bille. Sie sagt Mams zu ihr.

Mit Mams kriegt sie öfter mal Krach. Eben weil Mams sich mehr um sie kümmert als Johannes. Wenn es ganz ernst wird, spricht Mams sie mit Franziska an, so, wie sie tatsächlich heißt. Aber das eigentlich nur schriftlich, im Zeugnis, im Kinderpaß oder im Familienstammbuch: Franziska Heissler. Sie ist jetzt zwölf, in drei Monaten, im November, wird sie dreizehn.

Fränze rennt die alten, ausgetretenen Steinstufen im Schulhaus runter, nimmt zwei auf einmal. Anke macht's ihr nach. Anke ist ihre Problemfreundin. Mal stinkt sie ihr, mal mag sie sie. Schon in der Grundschule haben sie sich ständig gekabbelt. Mams fand das schlicht und einfach unvernünftig. Sie hätten denselben Schulweg, und auch sonst gäbe es eine Menge Verbindungen. Ankes Mutter ist Mams' beste Freundin.

Bei Anke hat die Wachstumsdrüse übrigens fehlerlos funktioniert. Sie ist einen halben Kopf größer als Fränze.

Fränze versucht, Anke abzuhängen. Aber Anke hat mal wieder was von einer Klette. Sie hängt fest. Ist nicht abzuschütteln.

»Renn doch nicht so, Fränze!« Sie japst nach Luft und hängt sich an Fränzes Ranzen. In Wellenlinien zieht sie Anke über den Schulhof und zum Tor hinaus.

Fränze mag ihren Schulweg. Er ist nicht allzu lang, hat keine unheimlichen oder gefährlichen Winkel und steckt voller Abwechslungen. Wenn sie sich wohl fühlt, gut drauf ist, kommt es ihr vor, als sei der Weg extra für sie. Gleich, wenn sie das Haus verlassen hat, in dem sie wohnt, muß sie eine Straße überqueren. Auf der anderen Seite empfängt sie jeden Morgen ein unglaublich frischer Brotgeruch. Der kommt aus der Bäckerei Henzler. Selbst wenn sie sich anstrengt und hart schluckt, läuft ihr da die Spucke im Mund zusammen. Manchmal gibt ihr Mams Brezelgeld mit. Dann geht sie tief einatmend in den Laden, der von der immer lustigen Frau Henzler beherrscht wird, und kauft sich eine frische Butterbrezel.

»Eingepackt für die Pause?« fragt Frau Henzler. Sie

steckt die Brezel in eine Pergamenttüte und sagt: »Die Butter soll ja nicht zwischen die Hefte tröpfeln.«

Nach der Bäckerei und zwei hohen Mietshäusern klafft eine große Lücke. Sie wird »Park« genannt. Was mächtig übertrieben ist. Es gibt zwar zwei sehr ausladende, uralte Kastanienbäume und zwei Bänke. Doch der Rasen erinnert mehr an einen abgeschabten Mäusepelz. Und die Bänke sind meistens besetzt von unrasierten Männern. Mams meint, daß sie sich vor denen hüten soll. Dabei sind die nie unfreundlich, halten höchstens mal laute Reden, denen niemand zuhört.

Einen von denen kennt Fränze beim Namen. Er hat sich ihr mal vorgestellt. »Ich bin der Pavel.« Wenn der nicht noch schläft, grüßt sie ihn im Vorbeigehen: »Guten Morgen, Pavel.« Meistens bläst er bloß die Backen auf und nickt.

Nach dem »Park« geht es um die Ecke. Die Gegend verändert sich mit einem Schlag. Mit der Gemütlichkeit ist es aus. Hier macht sich die »Holzverarbeitung« breit, eine Fabrik, die aus einer Anzahl von langgestreckten Schuppen besteht, in denen aus Bäumen Bretter gesägt werden. Fränze muß auf die Langholzlaster achten, die oft ohne zu hupen in die Hofeinfahrt einbiegen. »Paß bei den Holzfritzen auf!« hat Mams ihr eingeschärft. Aber bei denen riecht es wunderschön nach Harz und Holz.

Gleich darauf, an der Tankstelle, stinkt es nach Benzin und Auspuffdreck. Was Fränze nicht davon abhält, eine Weile anzuhalten, wenn sie Zeit hat. Sie guckt zu, wie die Autos an den Zapfsäulen vorfahren, wie die Fahrerinnen und Fahrer sich beim Tanken geschickt oder ungeschickt anstellen, wie die Zählrädchen in den Säulen rennen.

In dem Hochhaus hinter der Tankstelle wohnt Anke. Ein letztes Mal geht es über die Straße, und auf ein paar Vorgärten folgt die größte Attraktion des Wegs: Das Zoogeschäft! Im Fenster sind meistens nur Vögel ausgestellt, Wellensittiche und zwei Papageien. Die scheinen unverkäuflich zu sein. Jedesmal, wenn sich Fränze vor ihnen aufpflanzt, hat sie den Eindruck, daß die Vögel wissen, wer sie ist, daß sie sie kennen. Hinten im Laden leuchten die Aquarien. Vielleicht bekommt sie mal ein kleines Aquarium zum Geburtstag geschenkt. Johannes ist gar nicht abgeneigt. Nur Mams wehrt sich gegen Viecher jeglicher Art. Sie möchte keine Tiere in der Wohnung. Wir bewohnen doch keinen Stall, keinen Käfig, pflegt sie abwehrend zu sagen.

Von allen diesen Abwechslungen hat sie nun nichts. Anke nimmt sie voll in Anspruch und redet und redet. »Nächstes Jahr in den großen Ferien«, plappert sie, »gehen wir nicht bloß nach Spanien, obwohl mir's da gefallen hat, nur das Meer ist manchmal dreckig, nächstes Jahr fliegen wir auf die Kanarischen Inseln, wo das Meer noch richtig sauber ist.«

Anke hat die Fähigkeit, ohne Atem zu holen, endlos lange Sätze zu reden.

Fränze hört schon gar nicht mehr hin. »Wir fliegen auch!« erklärt sie. Dabei schiebt sie ihre Unterlippe nach vorn, wie immer, wenn sie aufschneidet oder schwindelt.

Anke packt sie wieder am Ranzen: »Aber du hast gesagt, ihr spart alles Geld für ein Haus. Und ihr macht bei euren Großeltern in der Pfalz Ferien.«

Fränze spürt, daß sie rot anläuft. Sie verzieht das Gesicht und wendet sich von Anke ab. »Der Johannes verdient jetzt mehr. Er hat einen besseren Posten bekommen.«

Anke glaubt ihr kein Wort. So, wie sie fragt, tut sie Fränze weh: »Seit wann denn das? Das müßte Mutti doch längst von deiner Mutter wissen. Die sagen sich doch alles.«

Fränze macht ein paar große Schritte, weg von Anke, und kehrt ihr den Rücken zu. »Alles sagen die sich auch nicht.«

»Wohin fliegt ihr denn?«

Fränze schießen eine Menge Namen durch den Kopf. Zufällig bleibt einer hängen. »Nach Florida. Das steht fest. Jawohl.«

Sie geht Anke ein paar Schritte voraus. Nicht mehr weit, und sie ist Anke los. Sie sieht schon die Tankstelle.

»Nach Florida? Das ist doch in Amerika, Fränze!«

»Ja.«

»Und ihr spart überhaupt nicht mehr?«

»Das geht trotzdem.«

»Du lügst.« Anke paßt auf, daß der Abstand zwischen Fränze und ihr groß genug bleibt.

Fränze dreht sich auf dem Absatz wie ein Kreisel. »Sag das noch mal!«

Anke schüttelt den Kopf. »Warum noch mal?«

Fränze geht auf Anke los, die ihr geschickt ausweicht, davonläuft und schreit: »Du hast gelogen. Ich erzähl's meiner Mutter, und sie sagt es deiner.«

»Prima!« Fränze stemmt die Hände in die Hüften und spürt, wie ihr Hals vor Wut anschwillt. »Toll, Anke! Erzähl's nur. Du Petze. Und ersauf in deinem blöden sauberen Meer.«

Mams erwartet sie. Sie deckt für sie beide auf dem Küchenbalkon. Nachdenklich sagt sie: »Komisch, Johannes wollte anrufen und mir sagen, ob er heute abend später kommt, wie schon die letzten Abende. Er hat soviel Arbeit.«

Sie essen. Die Tauben auf der Fensterbank gegenüber beobachten sie mit ständig nickenden, wippenden Köpfchen. »Irgendwas«, sagt Mams mehr zu sich, »stimmt mit Johannes nicht. Wenn ich nur wüßte, was ihm Sorgen macht.«

Mams hat recht. Johannes ist seit einiger Zeit anders, stiller und bedrückter. Er kann noch immer witzig sein, denkt Fränze. Aber oft wirkt das nicht echt. Fränze schaut Mams prüfend ins Gesicht. »Ob im Büro was los ist?«

Mams legt die Gabel weg. »Das bestreitet er. Vielleicht hat es auch gar nichts mit seiner Arbeit zu tun. Das gibt's, daß sich jemand ohne Grund elend fühlt.«

»Aber nicht der Johannes«, widerspricht Fränze. Sie könnte ihn fragen, aber sie traut sich nicht. Vielleicht käme dann was raus, was für sie alle schlimm ist. Was ihr gemeinsames Leben ändert. Davor hat sie Angst.

Fränze steht auf. Die Tauben gegenüber tippeln abflugbereit hin und her. Fränze tritt hinter Mams, legt das Kinn ganz leicht auf ihren Kopf, bis sie ihn wegzieht, aufsteht, sich zu ihr dreht. »Es wird schon«, sagt sie.

Fränze fällt ein, wie Johannes, wenn mal was nicht klappt, zum Trost sagt: »Es gibt eben keine geraden Schweineschwänzchen.«

Zwei

Fränze hat sich in ihr Zimmer zurückgezogen. Sie findet, daß es gar kein gemütlicheres Zimmer geben kann. Es ist nicht groß. Die Wand, unter der ihr Bett steht, ist schräg, da sie unterm Dach wohnen.

Ihren Schreibtisch hat sie in zwei Felder eingeteilt. Eines für die Schule und eines für ihren Privatkram, für das Zeug, das sich einfach angesammelt hat: Zum Beispiel eine ganze Herde von Eseln. Aus Stoff, Glas, Ton, Holz, groß und klein. Fränze liebt Esel. Das Schimpfwort »Esel« hält sie für Quatsch. Ihren schönsten Esel, einen flauschigen, stämmigen Stoffesel, hat sie mit Genehmigung von Johannes sogar Johannes getauft.

Sie sitzt da und schiebt Esel hin und her. Zu nichts kann sie sich entschließen. Zu den Hausaufgaben nicht. Auch nicht dazu, sich aufs Bett zu legen und zu dösen. Erst recht nicht zum Geigen.

Sie guckt zum Fenster raus und sieht nichts und denkt an Mams und Johannes. Wenn sie gefragt würde, was sie denkt, würde sie keine Antwort wissen. Ihre Gedanken huschen und flattern herum.

Sie hört Mams rufen und danach die Tür ins Schloß fallen.

»Tschüs«, antwortet sie, viel zu spät. Sie guckt auf die Uhr. Mams ist superpünktlich, Punkt halb zwei. Um zwei muß sie wieder in der Buchhandlung sein, in der sie arbeitet.

Endlich gehört ihr die Wohnung allein, wie immer um

diese Zeit. Sie könnte Anke anrufen. Aber dazu hat sie keine Lust. Sie könnte auch bei Holger vorbeigehen. Der würde sich bestimmt freuen.

Sie geht auf den Flur, stellt sich vor den Garderobenspiegel, setzt sich den Regenhut von Johannes auf und starrt durch sich hindurch. Dann verläßt sie die Wohnung, schnappt sich im letzten Moment ihren Schlüssel vom Schlüsselbrett und rennt auf der Treppe Frau Hilgruber in die Arme.

Die hat ihr gerade noch gefehlt.

»Immer stürmisch!« Frau Hilgruber drückt Fränze kurz, aber heftig an ihren mächtigen Busen. Sie duftet an diesem Tag nach Sauerkraut. Danach schiebt sie Fränze von sich, auf Abstand, hält sie jedoch an den Armen fest. »Kannst du nicht aufpassen, Fränze? Wie geht's denn? Hat die Schule wieder begonnen?«

»Schon lange.«

»Und ihr seid nicht in die Ferien gegangen? Wegen dem Haus. Stimmt's?«

Sie weiß alles. Mams sagt, wenn die Sprache auf Frau Hilgruber kommt: »Es hat gar keinen Sinn, ihr was zu verheimlichen. Erzähl ihr lieber alles ganz genau. Sonst erfindet die aus Bosheit was dazu.«

Fränze versucht, sich aus ihrem Griff zu winden. Aber Frau Hilgruber hat Hände wie Klammern. »Habt ihr das Haus denn schon gekauft?«

»Das weiß ich nicht.«

»Na, hör mal, deine Mutter erzählte mir, ihr hättet es gemeinsam angeschaut.«

Soll sie gestehen, daß ihr das Haus gar nicht so gefällt wie

Johannes? Sie muß auch, wenn sie umziehen, in eine andere Schule gehen. Und Mutter ist nicht sicher, ob sie in ihrer Buchhandlung weiterarbeiten kann. Das Haus brächte vieles durcheinander. Nur Johannes hätte es näher zur Arbeit. Und er hätte endlich seinen Garten. Den wünscht er sich sehnlich.

»Na, gefällt dir das Haus, Fränze?«

»Ja!« Endlich schafft sie es, sich zu befreien. Sie rennt die Treppe hinunter.

Frau Hilgruber ruft ihr nach: »Ich komm demnächst mal bei euch vorbei.«

Unten auf der Straße trödelt sie. Sie überlegt sich, ob sie bei Mams reingucken soll. Nur wird die fragen, ob sie schon mit den Schularbeiten fertig ist oder geübt hat, und wird ihr Vorwürfe machen. Um gar nicht erst in Versuchung zu kommen, wählt sie die andere Richtung. Sie geht »ihren« Weg, aber bloß bis zum Zoogeschäft. Vor dem bleibt sie stehen, begrüßt die beiden Papageien, die sich heute besonders stolz aufführen.

»Kremil«, krächzt der eine.

»Du bist selber ein Kremil!« Fränze wirft einen Blick zum Himmel, gleich wird es regnen.

Irgendwas muß sie noch tun, ehe sie wieder nach Hause geht. Irgendwas, das gegen ihre Traurigkeit hilft. Irgendwas, das sie aufmöbelt.

Kurz entschlossen betritt sie den Laden. Wieder steht die ältere Frau hinterm Tisch, die sie schon oft beobachtet hat, vor der sie sich ein bißchen fürchtet. Sie sieht aus, als könne sie toll reiten und sei trotzdem schon ein paarmal vom Pferd gefallen.

»Tag!« Die Frau beugt sich abwartend über den Ladentisch.

Fränze scharrt unschlüssig mit den Schuhen, dann fragt sie mit großem Ernst: »Gibt's bei Ihnen auch Esel?«

Nun sieht die Frau tatsächlich so aus, als sei sie gerade vom Pferd gefallen. »Esel?«

»Ja«, Fränze bemüht sich, ernst zu bleiben. »Esel!«

Ziemlich ungehalten erklärt die Frau: »Was Größeres als Hunde führen wir nicht.«

»Aber ich dachte ...« Warum soll sie nicht einfach loslachen und der Frau sagen: Wenn wir das Haus kriegen, können wir einen Eselstall in den Garten bauen. Das wär doch prima.

Die Frau mustert Fränze nachdenklich und ein bißchen mißtrauisch: »Wozu brauchst du einen Esel?«

»Ich mag Esel. Ich sammle sie«, sagt Fränze, »und einen lebendigen hab ich noch nicht.«

»So eine Spinnerei.« Die Frau räuspert sich so heftig, daß die Papageien und auch die Wellensittiche aufgescheucht zu lärmen beginnen.

Fränze schüttelt den Kopf. Die Frau merkt, daß es ihr ernst ist.

»Vielleicht könnte ich dir einen Esel beschaffen. Aber bevor ich mich erkundige, mußt du mit deinen Eltern vorbeikommen. Klar?«

»Klar.« Fränze nickt. Das reicht. Wie der Blitz ist sie aus dem Laden.

Tief in Gedanken schlendert sie nach Hause. Das wäre lustig: Ein Stall und ein Esel. Mams wird dagegen sein. Ganz bestimmt. Und Johannes? Den muß sie nur überreden. Sie könnte auf den Esel ja sparen. Bloß – wenn Johannes so gelaunt ist wie in der letzten Zeit, dann hat es kaum Sinn, mit ihm zu verhandeln.

Noch in Gedanken steigt sie die Treppe hinauf, schließt auf, sieht sich im Spiegel, gibt sich einen Ruck. Quatsch, Fränze, wir kriegen auf alle Fälle das Haus, und dann redest du mit Johannes. Sie stellt sich auf die Zehenspitzen, wachsen muß sie noch, unbedingt.

Mathe und Englisch schafft sie danach spielend. Beim Geigen hört sie sich sogar gerne zu. Sie schließt die Augen, stellt sich vor, daß sie Mozart im Konzertsaal spielt. Vor einem Riesenpublikum. Sie trägt ein schickes langes, weißes Kleid, mit einem breiten Ledergürtel.

Draußen kracht es. Endlich bricht das Gewitter los. Es regnet. Fränze reißt das Fenster auf, hält das Gesicht unter die Tropfen.

Als Mams heimkommt, fragt sie gleich: »Hat Johannes nichts von sich hören lassen?«

Fränze macht die Türe auf. »Warum? Das tut er doch sonst auch nicht.«

Mams schweigt eine Weile. Viel zu lang, bis sie antwortet: »Ja, das war blöd. Ich bin ein wenig durcheinander.«

Ich auch, denkt Fränze. Sie drückt die Tür zu, lehnt sich gegen sie, boxt mit dem Hinterkopf ein paarmal dagegen und sagt laut: »Heut abend frag ich Johannes, ob er was gegen einen Esel hat.«

Um sich die Zeit bis zum Abendessen zu vertreiben, geigt Fränze von neuem. Sie hört erst auf, als es an der Tür klopft.

»Fränze!« Es ist Johannes. Sie hat ihn nicht kommen gehört. »Das Abendessen ist fertig.«

Vorsichtig legt sie die Geige aufs Bett, ist mit drei Schritten an der Tür, reißt sie auf. Sie sieht nur noch den Rücken von Johannes, ein bißchen krumm und ein bißchen müde.

Sie setzen sich. Johannes schweigt. Mams schweigt. Die Messer klappern auf den Tellern so laut wie nie. Fränze will reden. Sie kann es nicht. Wenigstens so nicht, wie sie es sich vorgenommen hat. Aber ihr Bauch schafft es. Er hat so lange auf das Essen warten müssen, daß er nun knurrt. Es hilft nichts, daß sie die ersten Bissen hastig hinunterschluckt. Im Gegenteil, der Bauch singt, seufzt, knarzt. Sie wird immer verlegener. Mams lauscht mit schrägem Kopf, als ob sie auf eine Grille hinterm Schrank hört. Fränzes Bauch musiziert wie eine ganze Kapelle. Sie wirft Johannes einen entschuldigenden Blick zu.

Da geschieht, was sie erhofft und was nun ihrem Bauch gelungen ist. Langsam breitet sich ein Lächeln in seinem blassen, traurigen Gesicht aus. Die Augen beginnen zu glitzern. Er lacht und steckt sie beide damit an. »Das gibt's doch nicht. Was ist denn mit deinem Bauch los, Fränze?«

»Ich weiß es nicht.«

»Hast du solchen Hunger gehabt?« fragt Mams. »Weshalb hast du mir kein Wort gesagt?«

»So schlimm war's nicht«, Fränze drückt die Fäuste auf ihren Magen.

»Hunger?« Johannes lächelt noch immer; mit seinen Gedanken ist er schon wieder weit weg.

Mams kann den aufsteigenden Zorn nicht ganz unterdrücken: »Wir haben ziemlich lange auf dich warten müssen, Johannes.«

»Ja.« Er sitzt wieder unruhig da, die Hände flach auf den Tisch gedrückt.

»Habt ihr's bemerkt? Mein Bauch macht keinen Krach mehr. Er ist wieder ganz still.«

Johannes bemüht sich, noch einmal zu lächeln. »Wird auch Zeit, Fränze, sonst kommt hier ja keiner mehr zu Wort.«

Fränze packt die Gelegenheit beim Schopf: »Ich hab mir gedacht, wenn wir mal in dem neuen Haus sind, den Garten haben – da könnte vielleicht ein Stall stehen für einen Esel.«

Sie schaut nicht hoch, wartet lieber, was geschieht. Eine Weile passiert nichts. Mams schnauft ein wenig lauter.

Von Johannes ist kein Ton zu hören.

Ein Stuhl wird geschoben. Johannes ist aufgestanden. Er lacht. Fränze blickt in sein Gesicht. Es ist kein gutes Lachen.

»Wahrscheinlich haben wir den Esel früher als das Haus. Und nun laß mich in Frieden mit solchen Albernheiten.«

Mams ist ebenfalls aufgesprungen. »Aber –«

Johannes reagiert nicht. Er stellt den Fernsehapparat an und setzt sich davor.

Fränze weiß, daß er nichts mehr an sich ranlassen wird. Er hat sich eingeschlossen, ohne daß er in ein anderes Zimmer muß.

Mams flieht in die Küche, Fränze geht in ihr Zimmer,

legt sich aufs Bett und guckt so lange an die Decke, bis sie dort einen Fleck glühen sieht. Einen leuchtenden Kreis.

Johannes muß was tun, denkt sie. Er muß reden, sonst drehen wir alle noch durch.

Er fängt an zu reden, draußen. Sie hört die beiden wie im Radio. Nah und trotzdem weit weg und fremd.

Mams beginnt ungeheuer vorsichtig. »Kann ich dir helfen?«

»Wieso helfen? Mir fehlt nichts.«

Fränze kennt diesen flackernden Ton. Lang kann es nicht gutgehen.

Mams bleibt auf der Hut. »Irgendwas muß doch geschehen sein, Johannes. Du bist so bedrückt.«

Wieder fragt er bloß zurück: »Bedrückt?«

»Ja«, sagt Mams leise. »Merkst du nicht, daß sich auch Fränze Sorgen macht?«

»Fränze? Das ist doch Unsinn.« Seine Stimme wird schärfer und brüchiger. »Warum soll sich das Kind Sorgen machen?«

Fränze richtet sich auf. Gleich wird es krachen. Sie ist sicher. Auch Mams ist es. Aber sie kann einfach nicht aufhören und weggehen.

»Ja, sie macht sich Sorgen. Weil du so bedrückt bist.«

»Bedrückt?«

Er muß aufgestanden sein, denkt Fränze. Seine Stimme klingt jetzt näher. Sie drückt den Kopf gegen die schräge Wand, macht die Augen zu. Bitte nicht, murmelt sie, bitte, streitet euch nicht.

Johannes brüllt schon: »Wer macht sich denn Sorgen? Ihr habt doch nichts anderes im Kopf als das Haus. Und ob ein Esel in den Garten paßt! Ein Esel! Das schaff ich nicht.«

Sie hört ihn über den Flur rennen. Die Wohnungstür knallt zu. Er wird erst spät in der Nacht wiederkommen. Das geschieht nicht zum ersten Mal.

»Mams«, ruft sie.

Mams huscht wie ein Schatten herein, ist schon bei ihr.

»Ich hab das mit dem Esel nicht so gemeint.«

»Du nicht. Er auch nicht«, sagt Mams. »Zur Zeit spinnen wir alle. Wenn ich nur den Grund wüßte.«

Noch lange bleiben sie nebeneinander im Dunkeln auf dem Bett sitzen.

Drei

Johannes führt sich im Vorzimmer auf, als sei eine ganze Horde von Poltergeistern in die Wohnung eingebrochen. Es ist ein Johannes, der Fränze fremd ist, den sie nicht kennt. Den sie auch nicht kennen will.

Sie weiß, daß sich Mams vor ihm fürchtet und sich am liebsten im Schlafzimmer einschließen würde. Doch Johannes könnte womöglich die Tür einrennen. Deswegen wartet Mams, bis er zu ihr kommt, schreit, klagt und schließlich zu weinen anfängt wie ein Kind. Das ist am schlimmsten.

Er hört nicht auf, im Flur zu lärmen. Als fühlte er sich eingesperrt.

Fränze rutscht aus dem Bett, knipst die Nachttischlampe an und huscht zur Tür. Vielleicht ist es besser, wenn sie ihm hilft.

Mams traut sich nicht mehr, nachdem er blind auf sie eingeschlagen hat. Am andern Morgen hatte sie blaue Flecken an Hals und Schläfe. Hämatome nennt man das, hat Mams traurig erklärt.

Fränze zieht die Tür leise auf. »Johannes!« Ihre Stimme bebt ein wenig. In dem Licht, das in einem Streifen aus ihrem Zimmer fällt, kann sie seinen Schatten erkennen, einen dünnen, gekrümmten Schatten.

»Johannes!« wiederholt sie. Ihre Stimme wird fester. »Soll ich Licht machen?«

Er gibt keine Antwort, drückt sich hinter die Garderobe. Als es kracht und splittert, denkt sie: Wahrscheinlich hat er den großen Tonkrug umgeschmissen, in dem die Regenschirme stecken.

Alles ist verrutscht und verrückt. Sie steht da, vor Angst zitternd, in einem dünnen Nachthemd. Sterntalermädchen, hat Johannes sie gerufen, und jetzt will er sie nicht sehen. Er brummelt vor sich hin, kickt die Scherben des Krugs in die Ecke.

»Du kannst dir mit den Scherben weh tun!«

Er stellt sich taub oder ist es wirklich.

Kurz entschlossen macht sie das Licht an. Johannes hebt den Arm, hält ihn schützend vor die Augen. »Muß das sein?« fragt er, dreht ihr den Rücken zu und taumelt, wobei er gegen den alten Schrank stößt, zum Bad. »Mach mir auf!« befiehlt er. Als sie sich nicht bewegt, schreit er: »Mach schon auf!«

Sie versucht außerhalb seiner Reichweite zu bleiben. Sie macht sich klein, stößt die Badezimmertür auf, knipst das Licht an und ist mit ein paar Schritten wieder hinter ihm.

Alles, was geschieht, kränkt sie, tut ihr weh.

»Du kannst rein, Johannes.«

»Halt die Klappe.« Er stößt gegen den Türrahmen und flucht. Fränze fragt sich, ob sie ihm nicht doch helfen soll. Da taucht Mams neben ihr auf, als hätte sie ihre Ratlosigkeit geahnt. Johannes stolpert ins Bad, dreht sich wie ein Tänzer um die eigene Achse und erwischt mit dem Fuß die Tür so, daß er sie zuschlagen kann.

Mams und Fränze zucken zusammen.

»Ich hab gestern Herbert angerufen. Er war nicht da. Ich muß unbedingt mit ihm sprechen«, sagt Mams.

Herbert ist der beste Freund von Johannes. Sie kennen sich eine Ewigkeit, und er ist einer von denen, die mit Johannes die Elektronikfirma gegründet haben, in der er als Buchhalter arbeitet. Als »Finanzgeneral«, so nennt ihn Herbert.

Mams legt die Hand auf Fränzes Schulter, kaum spürbar. »Es wird eine Weile dauern, bis er wieder rauskommt. Es fragt sich, wie. Es ist besser, du gehst wieder ins Bett. Morgen in der Schule wirst du kaputt sein und nichts mitkriegen.«

»Und du, Mams?«

»Ich warte, was noch passiert.«

Es fällt ihnen schwer, sich zu trennen. Unter der Zimmertür dreht sich Fränze um: »Mams«, sagt sie leise, »ruf mich, wenn er bös wird. Bei mir paßt er auf.«

»Geh schon, Fränze, schlaf so schnell du kannst.«

Das schafft sie nicht. Noch lange liegt sie wach. Bei jedem wirklichen oder eingebildeten Geräusch fährt sie hoch. Johannes duscht anscheinend. Oder die Klospülung klemmt und hört nicht mehr auf. Mit der Zeit strengt sie das Horchen so an, daß die Müdigkeit sie überschwemmt und sie am Ende einschläft.

Am Morgen überhört sie den Wecker. Mams stürmt in ihr Zimmer, reißt die Bettdecke weg, kitzelt sie an den Sohlen: »Wir sind alle ein wenig zu spät dran. Beeil dich, Fränze.«

Sie springt hoch, taumelt, Mams fängt sie auf, gibt ihr Schwung für den Weg ins Bad.

Fränze bremst noch vor der Tür ab: »War's schlimm, Mams? Ich bin eingeschlafen.«

Die grauen Augen von Mams werden ein wenig dunkler, wie immer, wenn sie mit sich zu tun hat. »Nein«, sagt sie, »er ist reingekommen, ins Bett gefallen und hat losgeschnarcht. Beeil dich, sonst schaffst du nicht einmal mehr das Frühstück.«

»Was macht er?« fragt Fränze.

»Er tut so, als wäre nichts gewesen.«

Sie ist ungeheuer fix, putzt sich sogar noch die Zähne. Dabei fällt ihr ein, daß sie im Durcheinander gestern die Hausaufgaben in Englisch verschwitzt hat. Alles wegen Johannes.

Der sitzt in der Küche, trinkt Kaffee, kaut auf dem Brot, als ob nichts geschehen wäre. Nur blaß und mitgenommen schaut er aus. Sie ist nah daran, ihn anzuschreien: Was er Mams antue, wie er sie durcheinanderbringe! Wegen nichts und wieder nichts!

»Morgen!« Er wirft ihr einen kurzen, verlegenen Blick zu und vertieft sich wieder in die Zeitung.

»Morgen, Johannes.« Im Stehen trinkt sie Kaffee, verbrennt sich die Lippen und die Zunge und spuckt den Kaffee wieder in die Tasse.

Endlich schaut Johannes hoch: »Schlimm?« fragt er.

»Nein. Ich muß sausen.«

Mit der Hand faßt er nach ihr, sie weicht ihm aus, und er greift ins Leere. »Fränze.« Das hört sich drängend und traurig zugleich an.

Sie hätte ihm sagen können: Kannst du nicht verstehen, daß ich mich nach all dem schon ein bißchen vor dir fürchte, obwohl ich genau weiß, daß du mich nie schlagen würdest?

Weiß sie das wirklich genau?

»Ich kann dich in die Schule fahren«, sagt er. »Du bist viel zu spät dran.«

»Du nicht auch?«

»Das kriegen wir noch hin.«

»Also gut, Mams«, ruft sie in die Wohnung hinein.

Nebeneinander treten sie aus der Haustür. Der Himmel leuchtet blitzblank, ohne ein Wölkchen, und die schrägstehende Morgensonne blendet sie.

Johannes hebt sein Gesicht wie ein witternder Hund. »Guten Morgen, schöner Morgen«, sagt er. Er reißt die Autotür auf. »Wir haben nur noch sieben Minuten. Hoffentlich spielt die Ampel mit.«

Beim Anfahren läßt er die Reifen quietschen.

»Sei unbesorgt, Fränze, es klappt.«

Die Ampel steht tatsächlich auf Grün.

Leise sagt er: »Weißt du, Fränze, mit deinem Esel kann es erst einmal nichts werden. Weil das Haus zu teuer ist.«

Angestrengt schaut er durch die Scheibe auf die Straße.

»Nur wegen dem Geld?« fragt sie.

»Wegen *des* Geldes auch.« Er bremst hart, sie öffnet die Wagentür.

»Renn los, Fränze, mach dir keine Gedanken. Bitte nicht.« Fast flehend ruft er es ihr nach. Dabei kann er sich denken, daß sie sich Gedanken macht. Und Mams ebenso.

Im Englischunterricht kriegt sie Krach mit ihrer Lehrerin, Frau Lehmann. Sie rede sich neuerdings immer läppischer heraus, wenn sie die Hausaufgaben vergessen habe. Unter Kopfschmerzen leide sie wohl, wie sie's grad brauche.

Vor den Fenstern steigt die Sonne höher. Es wird ein warmer Spätsommertag werden. Fränze zieht den Kopf ein, die Schultern hoch.

Frau Lehmann gibt nicht auf: »Meine nur nicht, Fränze, daß diese Trödelei ohne Folgen bleibt.«

Warum hat sie nicht die Gabe, sich unsichtbar zu machen? Warum kann sie nicht einfach verschwinden? Warum gelingt es ihr nicht, die Tränen zu unterdrücken? Warum muß sie vor der ganzen Klasse losheulen?

Von weit her hört sie Frau Lehmanns Stimme: »Ich wollte dich nicht verletzen. Wir sollten mal miteinander reden. Bald.«

Fränze hebt den Kopf, reibt sich wütend die Augen. »Mir ist schon wieder gut«, sagt sie. Sie sagt es viel zu laut.

Vier

»Holger ist in Ordnung«, hat Johannes erklärt, als sie ihn zum ersten Mal mit nach Hause brachte. »Er hat was von einem Seelenwärmer.«

Als sie sich erstaunt erkundigte, was er darunter verstehe, sagte Johannes lachend: »Das sind Menschen, die anderen Menschen allein durch ihre Aufmerksamkeit und Freundlichkeit helfen können. So wie zum Beispiel mein Vater, Opa Friedrich.«

Johannes hatte recht. Holger stellt sich überhaupt nicht an wie sonst die Jungen in seinem Alter, macht nicht ständig durch Geschrei auf sich aufmerksam, spielt nicht dauernd den starken Mann. Trotzdem wird er von den meisten anerkannt.

Holger ist zwei Jahre älter und zwei Klassen weiter als sie. Er geht in die achte. Sie haben sich im Schwimmbad kennengelernt, nicht in der Schule.

Heute braucht sie Holger. Nicht bloß als Seelenwärmer. Sie muß einfach loswerden, was sie am Tag vorher gesehen hat.

Eine Woche war seit dem letzten Krach mit Johannes vergangen. Er kam wieder regelmäßig heim, blieb wortkarg und in sich gekehrt, was Mams und Fränze bewog, ihn wie ein rohes Ei zu behandeln. Manchmal hatten sie den Eindruck, daß er sich über sie lustig machte. Seine Augen konnten dann wie früher blitzen. Das geschah aber selten.

Gestern war Fränze, wie so oft, wenn sie mit den

Schulaufgaben nicht zurechtkam, in der Stadt herumgestreunt.

Sie hatte Mams in der Buchhandlung besucht, war an dem runden Tisch, der etwas versteckt in dem weitläufigen Laden steht, sogar mit Kaffee und Kuchen bewirtet worden.

Mams hatte sie gebeten, nach Hause zu gehen und noch ein bißchen Geige zu üben. Das wollte sie auch. Es kam aber anders.

Als sie aus dem Geschäft trat, nieselte es. Fränze fröstelte. Sie lief an den Häuserwänden entlang, um nicht allzu naß zu werden.

Zuerst sah sie sein Auto und – nach einer Schrecksekunde – Johannes. Sie blieb wie angewurzelt stehen, hielt den Atem an. Ihr war, als sei sie am hellichten Tag in einen verrückten Traum geraten. Sie hätte Johannes zwischen den Männern, die sich um den Straßenkiosk drängelten, beinahe übersehen. Er trank wie die andern Bier aus der Flasche, lehnte sich wie die andern gegen die Seitenwand der Bude. Etwas jedoch unterschied ihn, hob ihn heraus. Sie konnte es sich nicht gleich erklären.

Als sie verwirrt weiterlief, sprach sie es laut vor sich hin: Der müßte doch arbeiten, der Johannes! »Mensch, Johannes«, sagte sie gegen den Regen. Nun machte es ihr nichts aus, daß ihr Gesicht naß wurde. Noch unterwegs entschied sie sich, Mams erst einmal nichts zu sagen.

Johannes war dann pünktlich nach Hause gekommen, und sie hatte, als er sie begrüßte, an ihm geschnuppert. Er roch nicht nach Bier. Anscheinend hatte er den Geruch mit Kaugummi losgekriegt oder sich den Mund gespült.

Nach dem Abendessen spielte sie wie losgelassen auf der Geige. Ihr ganzer Kummer sprang auf die Saiten. Sie mußte mit Holger sprechen!

Nun wartet sie auf ihn. Am Mittwoch endet sein Unterricht zur gleichen Zeit wie ihrer. Meistens verabreden sie sich. Heute hat er keine Ahnung.

Er schlendert mit seinen Klassenkameraden auf sie zu, bleibt vor ihr stehen, als wolle er gleich weiter. »Ist was, Fränze?« fragt er.

»Ja.«

»Ich hab nämlich ...« Sie packt ihn am Arm.

Das mag er nicht. Er reißt sich los. »Spinnst du?«

»Es ist wichtig, Holger, wirklich.«

»Komm doch heut nachmittag zu mir, oder ich komme zu dir.«

»Gut, aber ich muß dir was erzählen. Ganz kurz.«

Fränze läuft neben ihm her, schwenkt den Ranzen in der Hand, weiß nicht, wie sie beginnen soll.

»Was ist denn? Hast du 'nen Frosch verschluckt?« Ohne Absicht hilft er ihr mit seiner Ungeduld.

Sie zerrt ihn wieder am Ärmel, muß ihn dazu bringen, ruhig zuzuhören. »Du, kann es sein, daß Johannes säuft? Heimlich?«

Holger bleibt stehen, schaut sie entgeistert an: »Dein Johannes? Dein Vadder?« Er sagt immer Vadder, mit einem kurzen ›*a*‹ und zwei weichen ›*d*‹.

»Sag mal, tickst du richtig?«

Sie hat es falsch angestellt. Aber wie soll sie es sonst erzählen? Sie versucht, so sachlich wie möglich zu reden. »Ich hab dir doch gesagt, daß Johannes in letzter Zeit ziemlich ungeduldig und ekelhaft ist. Irgendwas stimmt mit ihm nicht. Früher ist er nie« – sie zögert, dann spricht sie es aus – »besoffen heimgekommen. Und noch dazu spätnachts. Das paßt überhaupt nicht zu ihm. Gestern hab ich ihn am Kiosk gesehen. Am Nachmittag, wo er eigentlich im Büro sein müßte, bei der Arbeit.«

Während sie spricht, immer wieder stockt, beobachtet sie Holger. Er begreift das alles genausowenig wie sie. Vielleicht hat es keinen Sinn, ihn um Rat zu fragen. Was soll er denn raten?

»Ich weiß nicht«, sagt er. Seine Stimme bekommt einen trotzigen und abweisenden Tonfall. »Vielleicht hat dein Vadder schon Gründe. Vielleicht stimmt mit seinem Job was nicht, kann ja sein.«

Das schlägt wie ein Blitz bei Fränze ein.

»Ja!« Sie geht in die Hocke und wirft sich den Ranzen über die Schulter. »Das ist es«, sagt sie.

»Was?« fragt Holger.

»Danke«, sagt sie und rennt los.

»Soll ich vorbeikommen, heute nachmittag?« ruft er ihr nach.

»Ja«, erwidert sie, »du kannst mich begleiten.«

»Wohin denn?«

Sie hält an, dreht sich um: »Weißt du, wie man zur Weißenaustraße kommt?«

»Ich glaub, mit dem Siebener-Bus. Das ist ziemlich in der Pampa. Was willst du denn da?«

»Da ist dem Johannes seine Firma.«

»Ich hol dich ab, Fränze.«

Auf dem Nachhauseweg fragt sie sich, ob sie nicht voreilig gedacht hat. Es muß ja nicht unbedingt um seine Arbeit gehen. Johannes hat nie ein Wort verloren über Schwierigkeiten in seiner Firma. An der hing er sehr. Mit Freunden hatte er sie ein paar Wochen nach Fränzes Geburt gegründet. Die anderen waren Techniker, und er sorgte dafür, daß die Buchhaltung stimmte. »Ich bin nicht das größte Licht bei uns«, sagte er, »aber ein nötiges Flämmchen.« Auf einmal sollte das Flämmchen nicht mehr nötig sein?

Fünf

Holger hält Wort. Er wirkt ein bißchen aufgedreht. Der Bus ist überfüllt.

Sie werden aneinandergedrängt.

»Wir müssen aussteigen.« Mit Mühe und unter dem Gemecker der Leute bahnt Holger ihr eine Gasse zum Ausgang. Aufatmend springt sie raus. Holger fängt sie auf. »Die predigen immer Rücksicht und benehmen sich selber wie die letzten Heuler.«

Fränze schubst ihn von sich weg, schnuppert an ihrem T-Shirt: »Stinken tun die auch.«

Holger zeigt auf einen langgestreckten, knallgelb angemalten Bau: »Das muß es sein.«

Fränze guckt um sich und denkt: Da fährt Johannes jeden Tag hin zur Arbeit. Wahrscheinlich fällt ihm schon lange nicht mehr auf, daß sein Haus gelb ist.

Kein Mensch außer ihnen ist unterwegs. Ab und zu fährt ein Auto vorbei.

»Erzähl mal, was dein Vater so macht, hier draußen.« Holgers Ernst überrascht sie. Fränze spürt, daß er ihr helfen will. Zugleich merkt sie, daß er sich unsicher fühlt. Die Umgebung ist auch nicht danach, ihnen Mut zu machen.

»Du wirst's nicht glauben, Johannes hat vorher beim Finanzamt gearbeitet. Dann gründete er den Betrieb mit ein paar Freunden. Die kannte er schon lange, zwei oder drei von der Schule her. Die fragten ihn, ob er die Buchhaltung machen will. Johannes hat oft erzählt, wie sie angefangen haben, wie alles drunter und drüber gegangen ist. Es muß unheimlich spannend gewesen sein.«

»Und er hat ...?«

Fränze kommt ihm mit ihrer Antwort zuvor: »Er hat nie über irgendwas gejammert, nie. Er ist einfach anders geworden.«

Holger kennt nur den Johannes von früher. Um den hat er sie sogar beneidet. Nach einem Wochenendausflug, zu dem ihn Fränzes Eltern eingeladen hatten, hatte er gesagt: »Dein Johannes ist ein prima Typ. Der hat's nicht nötig, den Chef zu mimen. Mein Alter muß das alle Woche mal.«

Holger faßt nach ihrer Hand. Sie läßt es zu, reißt sich nicht los. Er hat es schon ein paarmal versucht. Bisher mochte sie es nicht, fand es kindisch, schämte sich. Hier tut es ihr gut. Da kann auch niemand drüber spotten.

»Komm«, sagt er, »wir müssen ums Gebäude rum. Hier gibt's keinen Eingang.«

Als sie Hand in Hand vor dem gläsernen Portal stehen, denkt sie, wenn Johannes den Holger und mich so sieht, dann lacht er sich schief oder freut sich – genau kann man das bei ihm nie wissen.

Plötzlich läßt Holger ihre Hand los. Er starrt auf die Schilder neben dem Portal. Schilder aus Messing, Emaille und Blech. Seine Aufmerksamkeit gilt nur einem. Auf dem steht: *Friendship-Electronics-GmbH / 2. Stock.* Dieses Schild gibt es und gibt es auch nicht. Zwei schwarze Isolierbänder sind darübergeklebt und streichen es durch.

»Ist das der Laden von deinem Vadder?«

Sie nickt, guckt, denkt: Da muß was passiert sein. Den Betrieb von Johannes gibt's nicht mehr.

»Ich frag den Pförtner.«

»Ich warte lieber draußen«, sagt sie und pflockt sich fest, voller Angst.

Durch die große Glastür sieht sie, wie er mit dem Pförtner spricht, sieht, wie der Mann gestikuliert, mal nach oben, mal nach unten zeigt, sieht, wie Holger immer wieder nickt – und als er rauskommt, unterdrückt sie ihre Neugier, wartet ab. Holger geht einfach los, den Kopf gesenkt, als könne er auf der Straße ablesen, was er ihr sagen will. Sie läuft ihm hinterher. Dieses Mal findet sie es selbstverständlich, ihn an der Hand zu nehmen.

Holger schaut auf seine Armbanduhr. »Es ist Arbeitsschluß.«

Wie um ihn zu bestätigen, beginnt eine Sirene zu heulen. Fränze zieht den Nacken ein.

»Also«, Holger beißt sich auf die Lippen, »der Pförtner weiß nicht soviel. Den Laden von deinem Vater gibt's nicht mehr. Schon länger nicht. Das ist auch wieder nicht ganz richtig. Die Firma ist verkauft worden, hat der Pförtner gesagt. Er hat auch gesagt: Die ist von einem Großen geschluckt worden. So ähnlich. Alle Angestellten sind nicht übernommen worden. Manche hat man ausgezahlt. Andere wurden gekündigt. Das mit dem Verkauf ist schon eine Weile bekannt. Dein Vadder muß das auch schon länger wissen.« Endlich holt er Atem. Wahrscheinlich merkt er erst jetzt, daß Fränze wie irr seine Hand drückt.

»Hat deinem Johannes der Laden mitgehört?«

»Nein.«

Sie erinnert sich, wie Johannes mal erzählte, daß er sich beinahe entschlossen habe, sich an der Firma zu beteiligen. Nur wäre er mit seinem Kleingeld bloß ein Piepser, und das lasse er lieber sein.

»Nein«, sagt sie noch einmal.

»Dann haben die ihm wohl gekündigt«, sagt Holger. »Buchhalter haben die großen Betriebe selber.«

Fränze findet, daß Holger sich im Augenblick genauso ausdrückt wie die, die Johannes entlassen haben, und weiß, daß sie ihm damit unrecht tut.

Auch im Bus läßt sie Holgers Hand nicht los. Es ist ihr schnurzegal, was die Leute denken. Sie werden gegeneinandergedrängt. Als sie kaum noch Luft kriegt, drängt sie zurück, schiebt mit den Ellenbogen, ballt die Fäuste.

Die haben alle Jobs, denkt sie. Diese Scheißkerle haben alle Jobs, und Johannes, dem sie das Wasser nicht reichen können, verliert den seinen, einfach so.

Holger bringt sie bis vor die Haustür. Zum Abschied berührt er sacht ihre Schulter. »Sagst du deiner Mutter was?«

»Klar.«

Zu ihrer Überraschung ist Mams schon zu Hause, macht sauber.

»Wo warst du denn?« Mams stellt den Staubsauger ab, läßt sich auf einen Stuhl fallen.

»Und warum bist du schon zu Hause?«

»Zwei Fragen und keine Antwort.« Mams lacht und reibt sich mit dem Handrücken die Schläfe. »Ich hatte keine Lust mehr, im Laden rumzustehen. Und du?«

»Ich bin mit Holger draußen gewesen, beim Betrieb von Johannes.«

»Setz dich.« Mams drückt Fränze auf den Stuhl, den sie neben den ihren gezogen hat. »Dann weißt du ja alles.«

»Ja«, bestätigt Fränze. »Und du auch, Mams?«

»Ja.« Leise fügt Mams hinzu: »Dieser schreckliche Dummkopf glaubt, er kann uns schonen und die Wahrheit für sich behalten.«

»Vielleicht schämt er sich.« Fränze lehnt sich gegen Mams.

»Nicht vielleicht.« Mams strafft sich, als wehre sie sich gegen diese Scham, diese falsche Scham. »Ganz sicher schämt er sich. Ganz unnötig dazu. Er ist ja nicht allein.«

Sie zieht Fränzes Kopf an ihre Brust, und Fränze sagt: »Arbeit findet der Johannes doch bestimmt wieder. Er kriegt ja auch Unterstützung, gell? Du verdienst doch auch.«

»Genau das ist der Punkt«, sagt Mams und lacht. Ihr Lachen schlägt hart gegen Fränzes Kopf. »Das geht doch nicht, daß der Mann nichts hat und die Frau was bringt. Das darf nicht sein.«

Es wäre Fränze lieber, Mams redete nicht so. »Du mußt Johannes sagen, daß wir's wissen.«

»Das werde ich«, antwortet Mams. Ihre Augen verdunkeln sich. »Nur bin ich nicht sicher, ob die Wahrheit ihm und uns hilft.«

Sechs

Fränze ist auf alles vorbereitet. Auf den Zorn von Johannes, auf seine Traurigkeit, darauf, daß er betrunken ist und daß er den ganzen Abend vor sich hin brütet. Doch Johannes trickst sie aus. Er kommt in die Wohnung gestürzt, völlig außer Atem: »Ich muß auf Dienstreise!« Er rennt so aufgeregt vom Schlafzimmer ins Wohnzimmer und vom Wohnzimmer ins Bad, daß Fränze allein vom Zugucken schwindlig wird.

»Aber Johannes«, wagt sie ihm leise nachzurufen. Das ist auch alles, was sie schafft.

Er entfaltet einen solchen Wirbel, daß selbst Mams sich an die Wand zwischen dem Schrank im Flur und der Küchentür drückt. »Bleibst du wenigstens zum Abendessen?« fragt sie, was er nicht hört oder nicht hören will.

Fränze rennt schließlich wie ein Hündchen hinter ihm her, schaut zu, was er macht, was er nicht macht. Im Grunde macht er nichts, bloß Wind. Er reißt Anzüge und Hemden aus dem Schlafzimmerschrank, wirft sie aufs Bett. Er macht den Koffer auf, stopft Unterhosen und Socken hinein und klappt den Koffer wieder zu. Er fegt aus dem Schlafzimmer, wirft Zahnbürste, Zahnpasta, Waschlappen, Seife und Rasierzeug in den alten, ledernen Waschbeutel und läßt ihn dann auf der Konsole unter dem Spiegel stehen.

Fränze folgt ihm in die Küche, die er nur besucht, um einen Haken zu schlagen – vorbei an Mams, die sich noch immer nicht von der Stelle gerührt hat, jagt er erneut ins

Schlafzimmer, stopft einen Anzug in den Koffer, während ein anderer auf dem Bett liegenbleibt. Einen Augenblick starrt er völlig abwesend aus dem Balkonfenster, nickt, als sei ihm etwas eingefallen, rennt, sich auf dem Absatz drehend, Fränze fast um, mustert sie wie einen Geist, eilt ins Bad, um den Waschbeutel zu holen und ihn ebenfalls in den Koffer zu werfen, bevor er ihn schließt, ihn neben die Wohnungstür wuchtet und erklärt: »Ich muß weg, Sybille, dringendst, wir haben beschlossen, daß ich in – in – in Bielefeld mit unseren Geschäftspartnern ernsthaft reden soll wegen Unregelmäßigkeiten – ach, weil die nicht pünktlich zahlen und liefern – liefern und zahlen – also, ich muß gleich weg, morgen früh ist der Termin – und ich muß den Wagen noch volltanken – erwartet mich nicht vor übermorgen – es kann einen Tag später werden – also, macht's gut!«

Dabei wirft er Mams und Fränze flehende Blicke zu und läßt die Wohnungstür hinter sich ins Schloß knallen.

Fränze merkt, daß ihre Hände vor Aufregung feucht geworden sind, und reibt sie an ihren Jeans trocken. Sie kauert sich neben Mams und wartet, ob nicht doch noch ein Wunder geschieht, Johannes auf Zehenspitzen hereingeschlichen kommt, den Koffer absetzt und leise sagt: »Ich muß mit euch reden, endlich mit euch reden.«

Nichts rührt sich.

Mams zieht Fränze hoch: »Du kriegst noch steife Knie, Mädchen.«

Gemeinsam gehen sie in die Küche und beginnen, als hätten sie es verabredet, das Abendessen zu machen. Dabei handeln sie ganz nach dem Motto von Johannes: Wer was auf der Seele hat, muß sich den Bauch vollschlagen. Heißhungrig schlingen sie Rührei und Schinkenbrötchen hinunter.

»Wenn er schon keine Dienstreise macht, wohin ist er dann?« Mams fährt mit dem Zeigefinger eine Schleife über den Tisch.

In Fränzes Kopf geraten Namen und Orte durcheinander. Ob bei Opa Friedrich, bei Jürgen Kobler in Mittenwald, bei Tante Kläre in Berlin? Sie sieht ihn wieder am Kiosk stehen, die Bierflasche in der Hand, mitten unter den Leuten und doch mutterseelenallein, und ihr geht durch den Kopf: Vielleicht ist er bloß um die Ecke gefahren und pennt in einem billigen Hotel oder sogar im Auto. Vielleicht fährt er auch bloß rum.

Ihre Gedanken scheinen sich übertragen zu haben. Mams läßt ihren Finger anhalten, runzelt die Stirn: »Vielleicht hat er gar kein Ziel. Vielleicht übernachtet er in einem Hotel.«

Sie schaut an Fränze vorbei, als liefe auf einer unsichtbaren Kinoleinwand ein Film mit Johannes ab: Wie er ein Hotel betritt, sich bei dem Portier anmeldet, in einem engen Aufzug hochfährt, eine Tür aufschließt und in einem grauen, abgewohnten Zimmer sich aufs Bett legt. Das Reklamelicht malt die Wände mal blau, mal grün, so wie in manchen Fernsehfilmen.

Fränze hält es vor Unruhe kaum mehr auf ihrem Stuhl.

»Daß die ihn hängenlassen. Seine Freunde! Mit denen hat er doch den Betrieb aufgebaut. Er hat zu ihnen gehalten, selbst wenn es mal nicht stimmte. Und jetzt? Ein Großer winkt mit großem Geld, und den kleinen Mann lassen sie einfach fallen.« Mams springt auf, stößt den Stuhl um und räumt ab.

Fränze hilft ihr beim Abwaschen.

Irgendwann, während sie das Handtuch um einen Teller kreisen läßt, sagt Mams traurig: »Weißt du was, Fränze, heute könntest du bei mir schlafen. Wenn du magst. Sein Bett steht ja leer.«

Fränze zieht für die Nacht um, nimmt sich jedoch vor, das nicht zur Gewohnheit werden zu lassen. Johannes muß, findet sie, schleunigst zurück.

Am andern Morgen braucht Fränze einen Moment, um sich zurechtzufinden: »Ich lieg ja im falschen Bett!«

»So kannst du's auch sehen«, kommentiert Mams. Sie hat den trockenen, spöttischen Ton drauf, den sie braucht, wenn ihr was nicht geheuer ist, ihr was weh tut. »Du mußt ja heute später in die Schule, Fränze.«

Fränze rekelt sich, hört Mams im Bad, sie niest und gurgelt. Als sie zurückkommt, frisch geduscht, riecht sie ein bißchen nach Wiese, nach ihrem Parfüm. Für die Länge eines Atemzugs stellt sie sich ans Fenster: »Die ollen Amseln sind auch schon träge Städter geworden. Die denken gar nicht mehr dran, im Winter wegzuziehen.« Sie huscht an Fränze vorbei, zieht die Tür hinter sich zu, öffnet sie wieder, steckt den Kopf durch den Spalt: »Falls du was von Johannes hörst – es könnte ja sein –, ruf mich gleich im Laden an. Ja?«

Ihr geht's so wie mir, denkt Fränze. Ich hab eine Mordswut auf Johannes, weil er uns für blöd hält, und dazu hab ich eine Riesenangst. Gegen die hilft nichts.

Sie genießt es, trödeln zu können, streicht in der Wohnung herum. Überall entdeckt sie Zeichen, die an Johannes erinnern. Jedesmal spürt sie einen winzigen Stich.

Auf dem Plattenspieler liegt die Platte, die er oft hört: Keith Jarrett. Oder der Kuli auf dem Couchtisch. Oder das Buch auf dem Fensterbrett: *Alte Häuser in der Wetterau.* In dem blättert er oft. »Das könnte unser Haus werden, guck mal«, hat er gesagt.

Sie nimmt ihren alten Ranzen, den ihr Mams schon seit zwei Schuljahren auszureden versucht. Im Flur dreht sie sich um die eigene Achse. Bloß so. Dabei entdeckt sie auf der Ablage, neben dem Telefon, das Adreßbuch von Johannes. In seiner Aufregung muß er es liegengelassen haben.

Sie nimmt es, zögert. Mit schlechtem Gewissen fängt sie an zu blättern. Eine Menge Namen und Adressen kennt sie. Ein paar auch nicht. *Herbert Kositzki.* Das ist Herbert, der Superfreund, der jetzt nichts mehr von Johannes wissen möchte, der ihn im Stich gelassen hat. Zwei Telefonnummern stehen neben seinem Namen. Die der Firma gilt sowieso nicht mehr. Die andere bestimmt. Mams wird sauer sein, denkt sie. Und erst Johannes, wenn er das erfährt.

Sie läßt den Ranzen auf den Boden rutschen, schiebt ihn mit dem Fuß beiseite und wählt.

Nicht er meldet sich. Es ist seine Frau, Hilde. »Du bist es, Franziska.«

»Ja, hier ist Fränze. Ich wollte eigentlich Herbert sprechen.«

Der Atem von Hilde macht ein Geräusch wie Wind. Sie

denkt wohl nach. »Aber du weißt doch, das mit der Firma.«

»Weiß ich.« Fränze bleibt ruhig, obwohl ihr Hals und Gesicht wie von Brennesseln brennen. »Hat er denn in dem andern Betrieb kein Telefon?«

»Natürlich.«

»Kann ich die Nummer haben?«

»Ist es dringend?«

»So auch nicht. Für überhaupt. Und Johannes ...« Sie unterbricht sich.

»Wie geht es ihm denn?« Hildes Stimme scheppert.

Fränze hält den Hörer vom Mund weg, schnauft, dann sagt sie: »Gut. Der ist bei einer Besprechung, geschäftlich.« Das stimmt ja auch irgendwie, denkt sie.

Hilde sagt die Telefonnummer und fügt noch hinzu: »Grüß Bille von mir.«

»Tschüs!« Fränze drückt mit Wucht den Hörer auf die Gabel. Sie schaut auf die Uhr. Es ist zu spät für die Schule. Sie hat nicht schwänzen wollen. Mams wird sie verstehen. Sie wird ihr alles erklären. Aber erst, wenn sie Johannes gefunden und mit ihm gesprochen hat.

Es kostet sie keine Überwindung mehr, die Nummer von Herbert zu wählen.

»Ja?« fragt er, ohne seinen Namen zu nennen.

»Ich bin's, Fränze.«

»Fränze?«

»Ja. Fränze. Tag, Herbert.«

»Fränze. Nein, so was.« Er kommt überhaupt nicht zu sich. Er muß ein schlechtes Gewissen haben, denkt sie.

»Tag, Herbert!« Ohne abzubrechen, spricht sie weiter:

»Sag mal, kannst du mir sagen, was mit Johannes los ist?« Dann ergänzt sie: »Mit meinem Vater.«

»Hat er euch denn ...«

Fränze läßt ihn nicht weiterreden. Sie verliert nur Zeit. »Nein«, sagt sie, »ich soll dich anrufen, deswegen.«

»Wir mußten verkaufen« – Herbert sucht nach Worten – »es konnten nicht alle Kräfte übernommen werden. Vielleicht hätten wir es mit Johannes geschafft. Er hatte seinen Stolz. Außerdem kriegten wir Krach. Schade. Wir hätten ihm auch sonst helfen können. Er hat es abgelehnt.«

»Ja«, sagt Fränze, kein Wort mehr.

»Und wie geht's ihm?« fragt Herbert.

Mit einem Sprung in der Stimme erwidert sie: »Prima. Ich glaube, er kriegt einen Job.«

»Sicher?«

»Ja.«

Eine Zeitlang steht sie neben dem Telefon, die Hand auf dem Hörer. Endlich gibt sie sich einen Ruck. Wenn sie schon die Schule schwänzt, warum soll sie nicht nach Johannes suchen?

Sieben

Fränze ist unterwegs, auf der Suche. Vor allem in den engen Gassen am Fluß und rund ums Münster, wo ein Typ wie Johannes, findet sie, »untertauchen« könnte. Mams gegenüber behauptet sie, sie treffe sich mit Holger.

Einige Male ist sie jemandem nachgelaufen, den sie für Johannes hielt.

Einem Mann, der in einem Hauseingang verschwand.

Einem Mann, von dem sie nur kurz den Rücken sah.

Einer Stimme, die sie zu kennen glaubte.

Jedesmal, wenn sie erschöpft heimkam, ihre Müdigkeit auch noch verbergen mußte, fragte Mams: »Hast du was von Johannes gehört? Hat er angerufen?«

Das war kaum auszuhalten. Sie verschwand in ihr Zimmer und geigte. Morgen suche ich noch mal, beschließt sie, dann ist Schluß. Ich muß wieder was für die Schule tun!

Am anderen Morgen steht sie vor Mams auf.

»Hast du Hummeln im Po?« fragt Mams.

»Ich treff mich vor dem Unterricht mit Frau Schildkraut. Wegen der Orchesterprobe.«

»Dann laß dich nicht aufhalten.«

»Zum Mittagessen komm ich nicht, Mams.«

»Ist gut. So kann ich auch im Laden bleiben.« Erstaunlicherweise schöpft sie kein Mißtrauen.

Fränze schafft es kaum, dem Unterricht zu folgen. ›Dottore‹ Kromer, der Mathelehrer, bittet sie spöttisch, doch gleich zu Beginn der Stunde mitzuteilen, ob sie geistig an-

oder abwesend sein wolle. Er müsse sich darauf einstellen. »Ist das klar, Franziska?«

An all dem, denkt sie, ist Johannes schuld.

Der Regen, ein schmutziger, dicktropfiger Regen begleitet sie zur Bushaltestelle. Sie hebt das Gesicht und bläst Tropfen von den Lippen. Der Bus ist überfüllt. Ihre Kleider fangen an zu dampfen.

Weil es ihr in dem Viertel am Fluß am besten gefällt, hat sie es sich noch einmal vorgenommen. Viele der alten Fachwerkhäuser sind erneuert worden. Die Fassaden leuchten in frischen, frechen Farben. Selbst die Menschen kommen ihr eine Spur freundlicher vor als sonst in der Stadt. Sie achtet vor allem auf Hotels und Pensionen. Davon gibt es eine Menge. Johannes könnte es hier gefallen. Zum Beispiel könnte er dort aus dem Hotel kommen.

Und da steht er, genau davor. Wie aus der Erde gewachsen. Ein zierlicher, ein bißchen nach vorn gebeugter Mann mit ein wenig zu langem Haar.

Fränze sieht zu, wie er sich eine Zigarette dreht. Er ist ganz ruhig. So, als sei er hier daheim. Während sie ihn beobachtet, ist sie vielleicht noch trauriger als er. Er zündet sich die Zigarette an, zieht an ihr, guckt durch die Menschen, die an ihm vorüberziehen, einfach durch. Fränze kann er ohnehin nicht sehen. Trotzdem versteckt sie sich in einem Ladeneingang, direkt gegenüber dem Hotel.

Nun weiß sie, wo er wohnt. Im Hotel. Sie kann nicht einfach zu ihm rüberlaufen. Damit wäre alles kaputt, bei seiner Empfindlichkeit. Sie muß auf eine günstige Gelegenheit warten. Und sie darf Mams so lange nichts verraten, bis sie mit Johannes gesprochen hat.

Als er quer über die Straße läuft, gerät sie für einen Augenblick in Panik. Vorsichtig folgt sie ihm dann, im Windschatten einer dicken und gemächlich ausschreitenden Frau. Zu allem Übel merkt die Dicke, daß sie als Deckung mißbraucht wird. Fränze kann sich vor ihrem Zugriff nur retten, indem sie aus dem Stand startet und einen Haken schlägt.

Johannes scheint kein Ziel zu haben, schlendert. Irgendwie, findet Fränze, kann ihm jeder ansehen, daß er sich nicht zu helfen weiß. Der hat einen richtigen Trauerrand!

Eine Weile bleibt er an der Flußmauer stehen, beugt sich über sie, verfolgt das Treiben der Möwen auf dem Wasser, sieht den Schiffen nach. Sie schmiegt sich gegen eine der Platanen an der Uferpromenade und ist froh, daß der Stamm mindestens so dick ist wie sie.

Langsam beginnt es zu dämmern. In den Schaufenstern gehen Lichter an. Es kommt ihr vor, als wache die Stadt erst am Abend auf.

Spätestens Viertel vor sieben muß sie zu Hause sein, ein paar Minuten vor Mams. Sie darf nicht merken, daß sie sich schon seit Tagen herumtreibt.

Unversehens ist er verschwunden. Wäre in dem Telefonhäuschen, das er betreten hat, nicht das Licht angegangen, sie hätte ihn nicht wiederentdeckt.

Aber dann macht es Johannes ihr leicht. Er verläßt die Zelle, steuert spürbar auf ein Ziel zu, biegt ein paarmal um Ecken; die Gäßchen werden immer enger. Als hätte ihn ein Sog ergriffen, verschwindet er blitzschnell im Eingang einer Gaststätte.

Fränze richtet sich auf eine längere Wartezeit ein, wandert um einen Zeitungskiosk herum, liest Überschriften, schaut Titelbilder an und behält die Kneipe dabei doch im Blick.

»Mehr als zwei Millionen Arbeitslose«, liest sie eine dikke Überschrift in einer der Zeitungen. Das war schon lange so, sie weiß es. Nun betrifft es plötzlich sie. Johannes hat mal über die Penner geschimpft, die in der Regierung sitzen und sich um die wirkliche Not nicht kümmern. »Die Not, die wir alle nicht sehen wollen.« Das hat er gesagt. Nun vertritt Johannes die Not.

Da die Kioskfrau sie schon mißtrauisch mustert, die Straßenlichter ein wenig früher als sonst angehen, da sie friert, obwohl es noch recht warm ist, beschließt sie, Johannes in seiner Kneipe allein zu lassen und ihn morgen in seinem Hotel zu besuchen. Im »Handtuch«, so heißt das Hotel.

Da kommt er aus der Kneipe, zieht die Lederjacke glatt, schnuppert in den Straßendunst, wendet sich um und hat, als könnte er zaubern, auf einmal eine Frau neben sich. Er faßt sie liebevoll am Arm, spricht so vertraut mit ihr, als wäre es Mams.

Das ist zuviel. Jetzt hält sie nichts mehr, jetzt ist es ihr gleichgültig, ob Johannes sie bemerkt oder nicht. Im Gegenteil. Sie möchte von ihm gesehen werden, möchte ihn stellen. Sie möchte sich so benehmen, daß er sich schämt.

Sie rennt den beiden nach, rammt gegen Fußgänger, wird von scheltenden Stimmen verfolgt.

Noch immer hält er die Frau am Arm. Hin und wieder

sieht sie ihn von der Seite an und lacht. Fränze ist ihnen so nah auf den Fersen, daß sie Satzfetzen versteht: »Muß sehen, wie ...« »Nichts Vernünftiges ... gescheitert.« Und: »Du mußt mir helfen.«

Warum sagt er das nicht zu Mams oder zu ihr? Mit einer heftigen Bewegung setzt sie sich vor das Paar, pflanzt sich Johannes in den Weg. Sie hört sich rufen: »Und wir! Und wir? Und ich?«

Darauf sieht sie nichts mehr. Johannes hat sie gepackt, an sich gedrückt. Sie riecht ihn, das Leder seiner Jacke. Er spricht, wahrscheinlich mit der Frau. Fränze kann nichts verstehen. Will es auch nicht. Sie heult erbärmlich. Ihr ganzer Leib schluchzt und wird geschüttelt. Die Hände von Johannes liegen auf ihrem Rücken. Das tut gut.

Die Frau geht. Johannes hat sie fortgeschickt. Sanft schiebt er Fränze von sich fort. Ihr Gesicht ist von Tränen naß. Sie wischt es sich mit dem Arm trocken. Johannes hilft mit seinem Taschentuch nach. »Es ist sauber«, versichert er.

»Bist du schon lang hinter mir her, Fränze?«

»Ja.«

Sie läuft neben ihm her. Es kommt ihr vor, als sei sie sich selber fremd.

»Ich fahr dich nach Hause«, sagt er, »und morgen komme ich zurück.«

»Wer ist die?« fragt sie. Ihre Stimme klingt hart.

»Das ist Dora«, sagt er. »Ich kenne sie seit dem Studium. Bille kennt sie auch.«

»Ja? Mams kennt die?«

»Ja.«

Das Auto steht auf einem kleinen Hof hinter dem Hotel. Während der Fahrt schweigt er. Ein Stück vom Haus entfernt setzt er sie ab.

Sie rutscht vom Sitz, richtet sich wie ein Fragezeichen neben dem Auto auf: »Soll ich Mams erzählen, daß du morgen kommst?«

Er nickt. Und dabei zuckt es unter seinem linken Augenlid.

»Das mit der Frau, mit der Dora, auch?«

»Ja«, antwortet er. »Klar, Fränze.«

Acht

Johannes hielt Wort. Er kam tatsächlich heim. Ein paar Tage lang stritten er und Mams sich auch nicht. Trotzdem stimmte nichts. Johannes blieb im Bett, wenn Fränze und Mams morgens aufbrachen, und es schien Fränze wie eine leise, böse Herausforderung. Sie wußte, daß sie Johannes unrecht tat. Nur meinte sie, daß er etwas tun sollte. Wenigstens aufs Arbeitsamt gehen und nach einer neuen Stellung fragen. Sie sprach ihn darauf an.

Das könnte er auch telefonisch erledigen, meinte er. Um vierundvierzig Jahre alte Buchhalter mit abgebrochenem Wirtschaftsstudium reiße man sich sowieso.

Immer, wenn er sich so verteidigen mußte, guckte er an ihnen vorbei oder durch sie hindurch. Seine Stimme schepperte wie aus einem kaputten Lautsprecher.

Wenn sie aus der Schule kam, war er häufig nicht da. Fränze hatte sich abgewöhnt, nach ihm zu rufen. »Ich bin doch kein Hündchen, das zu Hause auf Frauchen wartet«, hatte er gesagt. Alles, was sie oder Mams taten, konnte ihn verletzen, beleidigen.

»Das Auto kannst du jetzt nehmen«, hatte er Mams erklärt und die Schlüssel auf den Küchentisch geknallt. »Ich brauch es nicht mehr. Ich habe kein Anrecht darauf. Du verdienst jetzt das Geld.«

Mams steckte die Schlüssel wortlos in die Tasche, doch das Auto blieb auf dem Parkplatz vorm Haus stehen.

Es war nicht das einzige, was stillag.

Wenn sie abends, ohne ein Wort miteinander zu wechseln, gemeinsam aßen und Johannes sich danach, unansprechbar, vor den Fernseher pflanzte, fiel Fränze alles ein, was stillgelegt war: Das Familienleben, die Freude, daß man sich liebhat, daß sie gern in die Schule ging.

Zwei oder drei Wochen, nachdem Johannes zurückgekehrt war, hatten er und Mams zum ersten Mal ausführlich miteinander zu sprechen versucht. Als hätten sie sich verabredet, waren sie gleich nach dem Abendessen ins Wohnzimmer gegangen.

Fränze hatte die Tür angelehnt gelassen, um die beiden hören zu können.

Er fing gleich spöttisch an, vielleicht um sich zu schützen, vielleicht um Mams vor allzu neugierigen Fragen zu warnen. Er forderte Mams auf, alles auszuspucken, was ihr nicht schmeckt, was sie ankotzt.

Mams ließ sich nicht aus der Ruhe bringen, bat ihn, erst mal zu erzählen, wie das alles geschehen war, weshalb er die Stelle verloren hatte.

Allein diese Frage genügte, ihn aus der Fassung zu bringen. Er lief im Zimmer hin und her. Als er endlich antwortete, tat er es schon sehr laut: »Das ist doch idiotisch, damit noch mal anzufangen. Das ist vorbei. Ende, Sense. Diese Arbeit hab ich gehabt, jahrelang. Und sie ist gut gewesen. Sie hat mich ausgefüllt. Schluß damit. Ein Buchhalter läßt sich heute mühelos durch Computer ersetzen. Und Freunde geben es eben mal auf, Freunde zu sein. Das ist doch so klar wie ...« Er suchte nach einem Vergleich. Nur fiel ihm, aufgebracht wie er war, keiner ein. »Wie ...« sagte er. »Ach, verdammt noch mal: Wie nix, wie nix!«

Mams blieb leise. »Du hättest nicht weglaufen sollen.«
Warum merkt sie nicht, fragte sich Fränze, daß sie Johannes in die Enge treibt?
»Mein Gott, kannst du das nicht verstehen? Ich war geschockt. Ich mußte erst mal wieder mit mir selber ins klare kommen. Ist das so unbegreiflich?« Seine Schritte hörten sich beinahe wie ein Trommelwirbel an.
Merkwürdig, warum fühlte sich Mams nicht gewarnt? Jetzt schien es Fränze so, als legte sie es auf den großen Krach an.
»Bei all dem mußte dir Dora beistehen?«
»Darauf hab ich gewartet«, brüllte er. »Das mußte ja kommen. Ich hab sie gebraucht, ja. Nicht erst jetzt, schon länger. Du nervst mich, Sybille. Du, mit deinem überklaren Kopf, du mit deiner eisigen Ruhe. Ich habe jemanden gebraucht, der warm ist, der Herz hat.«
»Und ich?« Mit diesen zwei kurzen Wörtern lief ihre Stimme einen steilen Hang hoch und verlor den Atem. »Und ich?«
»Was fragst du noch?«
»Du hast ja recht.« Erschöpft und leise kam ihre Stimme wieder den Berg runter.
»Eben, Sybille. Vielleicht ist es für uns beide erträglicher, wenn wir einige Zeit auseinandergehen. Wir machen uns gegenseitig kaputt.«
»Und Fränze?«
Mams gab das Stichwort. Fränze lief über den Flur, riß die Tür zum Wohnzimmer auf, blieb auf der Schwelle stehen und sah die beiden, Mams und Johannes, wie auf einem verwackelten Foto: verrutscht und weit weg.

»Fränze!« Johannes wollte auf sie zu.

Fränze wehrte sich gegen ihn mit ausgestreckten Händen. »Nein!« Kein zusammenhängender Satz fiel ihr ein. Sie schaute auf die beiden, öffnete den Mund, schloß ihn wieder.

»Komm zu mir, Fränze.« Mams beugte sich in ihrem Sessel nach vorn, und in diesem Augenblick lief ihr eine einzelne Träne über die Backe.

Fränze war mit wenigen Schritten bei ihr, kauerte vor sie hin, wischte die Träne mit dem Handrücken ab.

»Ich muß raus an die Luft.« Johannes stand schon an der Tür. »Fränze kann ja heute bei dir schlafen, und ich in ihrem Bett, ausnahmsweise.«

Sie antworteten nicht. Als er spät in der Nacht Fränze mit seinem Krach weckte, saß sie eine Weile angespannt und steif im Bett.

»Mams?«

»Ja.«

»Wird der Johannes weggehen?«

»Ich glaub ja.«

»Für immer?«

»Ich weiß es nicht, Fränze.«

»Und das bloß, weil er keine Arbeit hat?« Fränze drückte den Kopf ins Kissen, das nach Johannes roch.

»Bloß weil er keine Arbeit hat ...« Mams faßte nach ihrem Arm, hielt ihn fest. »Bloß kannst du da nicht sagen, Fränze. Da ist viel mehr. Das kann beinahe ein Leben bedeuten.«

Fränze drückte die Augen zu. Die geschlossenen Lider wurden zum Bildschirm: Sie sah sich. Sie sah Johannes.

Zwischen ihnen beiden wurde in einem Lichtkegel eine Frau sichtbar. Nicht Mams, sondern die andere, Dora.

Fränze riß die Augen auf und starrte ins Dunkel, damit das Bild verschwand.

»Schlaf gut und schnell«, flüsterte Mams. »Bald klingelt der Wecker.«

Neun

Seit Johannes ausgezogen ist, fühlt sich Fränze angespannt wie ein Flitzebogen. Zwar schaut er noch alle zwei oder drei Wochen mal rein, aber er benimmt sich wie ein freundlicher Fremder.

Jedesmal, wenn er wieder weg ist, bricht Mams in Tränen aus. Fränze meistens auch.

Auf alles und auf alle reagiert Fränze überempfindlich. Sofort mischt sie sich ein, sofort geht sie hoch. Keiner begreift, warum.

Immer häufiger werfen Lehrer ihr Zerstreutheit und mangelnden Fleiß vor. Sie weiß es selber, daß sie nachgelassen hat.

Am ehesten kommt sie noch mit ihrer Musiklehrerin, Frau Schildkraut, aus. Die springt ihr auch bei, als sie sich in einer Pause mit ein paar Klassenkameraden prügelt. Weil sie sich prügeln muß.

Begonnen hat die Geschichte freundlich. Sie sind in einer größeren Gruppe in die Pause gegangen und haben wie immer über Schulkram gequatscht.

Fränze fühlt sich wohl, sie lacht, sie bläst sich die Haare aus dem Gesicht und schubst den, der neben ihr steht, mit den Schultern. Ganz unerwartet wendet sich das Gespräch. Ein kurzes, böses Wort fliegt mit einem Mal von Mund zu Mund: *Aso!* »Das ist doch ein Aso.« – »Ist doch logisch.« – »Der arbeitet nichts.« – »Der will nichts arbeiten.«

»Von wem redet ihr denn?« fragt sie.

Ein Stimmengewirr ist die Antwort. Jeder und jede möchte offenbar seine Meinung über Asos loswerden. Fränze verliert die Geduld. »Was ist denn das, ein Aso? Sagt doch mal.«

Den, der ihr antwortet, hat sie noch nie leiden können. Ehe er ein Wort spricht, weiß sie, daß seine Erklärung gemein sein wird. Er zieht eine überlegene Miene: »Das weißt du nicht, Fränze? Du kommst wohl aus dem Wald. Ist aber egal. Ein Aso, das ist die Abkürzung für Asozialer. Ein Aso ist ein kaputter Typ. Ein dreckiger Kerl. Die Kiosksäufer auf dem Schillerplatz, das sind Asos. Die Arbeitslosen.«

Bei dem letzten Wort wird es ihr heiß. »Du bist so blöd«, sagt sie, »du bist selber ein kaputter Arsch.«

Ehe der Junge reagieren kann, rammt sie ihren Kopf gegen seine Brust. Dann schlägt sie auf ihn ein, blind vor Wut. Ein einziges Wort macht sich in ihrem Kopf breit und füllt ihn schrecklich aus: Aso!

Sie behält die Augen zu. Ihre Arme werden zu Dreschflegeln. Mal trifft sie, mal schlägt sie ins Leere. Hände greifen nach ihr. Fäuste hämmern ihr gegen den Kopf, in den Rücken, sie läßt die Arme sinken. Eine kräftige Hand packt sie am Arm, reißt sie aus dem Getümmel. Sie haben Johannes beleidigt, denkt sie. Johannes ist ein Aso. Ein Aso!

»Was ist los mit dir, Fränze? Hast du den Verstand verloren?«

Sie öffnet die Augen zu schmalen Sehschlitzen und erkennt, verzerrt wie in einem Jahrmarktspiegel, Frau Schildkraut. Die Prügler und die Brüller verkrümeln sich auffallend schnell.

Frau Schildkraut schiebt Fränze neben sich her. Allmählich fühlt sie sich besser, doch der Druck auf der Brust lastet noch immer. Aso! Der Johannes ist ein Aso!

Frau Schildkraut läßt sie erst einmal in Ruhe. Im Musiksaal drückt sie Fränze einen Stuhl in die Kniekehlen. Sie selber setzt sich ans Klavier, spielt ein paar Takte und sagt dann: »Schade, daß du deine Geige nicht dabeihast. Spielen täte dir jetzt gut.«

Fränze antwortet nicht. Sie denkt: Die Schildkraut versteht mich vielleicht. Vielleicht.

»Aber Klavier kannst du ja auch ein bißchen. Willst du?« Die Lehrerin steht auf.

»Geigen ist mir lieber«, sagt sie. »Wenn schon.«

»Was war denn los?« Frau Schildkraut stützt sich wie eine Sängerin auf den Flügel.

Fränze guckt an ihr vorbei zur Tafel; da steht völlig idiotisch: MORGENGABE.

»Eigentlich nichts.« Sie wirft einen kurzen fragenden Blick zu Frau Schildkraut. »Wissen Sie, was ein Aso ist?«

»Ein Aso?« Frau Schildkraut zögert, dann sagt sie: »Das ist eine dumme Abkürzung für asozial, nicht wahr?«

»Nein!« Fränze springt auf, läuft an Frau Schildkraut vorbei zum Fenster, blickt hinunter auf den mittäglich leeren Schulhof. »Nein! Ein Aso ist ein Penner, ein Asozialer, ein Kiosksäufer. Vor allem aber ist es ein Arbeitsloser. So einer wie Johannes, genauso einer. Ein Aso.«

»Wie kommst du auf deinen Vater?«

»Weil die ihn gemeint haben.«

Frau Schildkraut ist hinter sie getreten, ohne sie zu berühren. Fränze spürt sie. »Das ist doch Unsinn.«

»Doch. Die haben Johannes gemeint. Johannes ist ein Aso. Ein Arbeitsloser, ein Penner.«

»Hör mal her.« Die Lehrerin packt sie und dreht sie zu sich um. Sie spricht in ihr Gesicht, und ihr Atem riecht nach Pfefferminz. »Ich kenn deinen Vater ein bißchen. Von den Elternabenden. Hat er denn seine Arbeit verloren?«

Fränze gelingt es nicht, das Schluchzen wegzuschlukken.

»Das ist schon schlimm, Fränze. Ich versteh, daß du traurig bist. Ich versteh nun überhaupt eine Menge mehr. Warum du oft nicht richtig mitmachst. Arbeitslos zu sein, ist doch kein Makel. Es ist arg. Aber dein Vater wird es schaffen. Ich bin sicher. Denk nur, wie viele arbeitslose Lehrer es gibt. Das sind keine Asos, nein.«

Nachdem sie Fränze Zeit gelassen hat durchzuschnaufen, entscheidet sie: »Ich fahr dich nach Hause. Keine Widerrede.«

Unterwegs fragt sie: »Was hat dein Vater vor?«

Fränze dreht das Fenster runter, der Wind fährt ihr ins Gesicht. »Er ist ausgezogen. Nur auf Probe, wie er meint.«

»Du und deine Mutter ...?«

»Wir beide ...« sagt Fränze und hält den Kopf zum Fenster hinaus.

Jetzt will sie nicht mehr weiterreden.

Mams rumort in der Küche. »Du bist spät dran!«

»Die Schildkraut hat mich noch belabert, wegen dem Konzert.«

»Komm gleich. Das Essen ist fertig.«

»Vorher muß ich kurz geigeln, ein paar Läufe«, sagt sie.

Der Bogen streicht sicher und fest über die Saiten. Endlich klappt es wieder. Endlich wehrt sich die Geige nicht mehr gegen sie, und sie hat keine Angst mehr vor der Geige. »Verdammter Johannes«, zischt sie in den gelungenen Lauf hinein.

Zehn

»Der Mensch gewöhnt sich an alles«, findet Mams. »Wir beide haben uns inzwischen an unseren Weiberhaushalt gewöhnt.«

Fränze findet das nicht. Zwar geht alles seinen Gang, Störungen gibt es kaum noch, doch sie hat weiter Schwierigkeiten in der Schule. Das Zeugnis wird Mams bestimmt nicht gefallen. Johannes fehlt. Er ist nicht nötig, denkt sie, aber wir brauchen ihn. Alles, was an ihn erinnert, verschwindet allmählich oder wird ganz einfach von ihnen beiden in Anspruch genommen: »Sein« Fernsehsessel, den Mams zum Fenster gerückt hat und in dem sie abends liest oder döst. Oder »sein« Arbeitsplatz in der Abstellkammer. Da liegen jetzt anstatt seiner Akten und der Rechenmaschine Unterhosen und Strümpfe, die darauf warten, gestopft zu werden. Und morgens duftet es im Bad, im Flur und in der Küche nicht mehr nach seinem Rasierwasser.

Er schaut immer mal wieder vorbei, bleibt dabei unbeirrbar freundlich, erklärt ihnen, daß er noch keine Arbeit habe – aber die Pausen zwischen seinen Besuchen werden länger. Und die zwischen den Sätzen, die Mams und er dann wechseln, ebenso.

»Wir leben nicht mehr miteinander. Wir erleben nichts mehr miteinander. Da gibt's wenig zu erzählen. Verstehst du?«

Diese Erklärung leuchtet Fränze ein. Trotzdem wünscht sie, daß die Eltern sich versöhnen. Denn auch die Stimmungen von Mams werden immer undurchschaubarer. Mal hängt sie abends rum, mal reißt sie Fränze einfach mit »auf eine Sause«; mal spricht sie von Scheidung, mal weiß sie hundertprozentig, daß dieser verrückte Kerl bald aufgibt und zurückkehrt.

Frau Schildkraut ist es, die Fränze als erste an ihren dreizehnten Geburtstag erinnert: »Du bist ja ein Novemberkind.«

Mitten im Unterricht hält sie vor Fränze an, tätschelt ihre Backe, lächelt. »Bist du wirklich eines? Dann muß dir dieses gräßliche Nieselwetter ja behagen.«

»Das tut's auch.« Fränze mag solches Wetter. Mams hält das für »abartig«, wenn Fränze morgens putzmunter in die nebelgraue Stadt aufbricht. Mams drückt das Wetter auf die Seele.

»Am siebzehnten?« fragt Frau Schildkraut.

Fränzes Erwartung richtet sich allein auf Johannes. Ob der sich bemerkbar machen wird?

Er lädt sich selber ein. Fünf Tage vor Fränzes Fest ruft er an. Mams holt sie ans Telefon. »Er möchte unbedingt mit dir sprechen.«

Fränze preßt den Hörer ans Ohr, als könne sie sich ihn auf diese Weise in die Nähe holen. »Ja. Ich bin's.«

»Dich wollte ich auch. Aus einem bestimmten Grund, den du dir denken kannst.« Er spricht mit getragener Stimme, spielt.

»Was denn?«

Empört ruft er: »Fränze! Hör mal! Was passiert mit dir in – sagen wir fünf Tagen?«

»Mit mir?« Verzweifelt denkt sie nach: »Was?«

»Dreizehn wirst du. Älter wirst du. Du kopflose Geiglerin.«

Seit Frau Schildkraut sie darauf ansprach, hat sie an nichts anderes denken können. Und nun hängt sie fassungslos an der Strippe.

»Ich weiß«, stottert sie.

Er lacht laut in ihr Ohr. »Ich wollte mich anmelden. Ich komme so gegen drei. Sybille hab ich schon vorbereitet. Lad noch ein paar Leute ein, damit wir gut unterhalten sind.«

»Ich freu mich. Riesig!« stammelt sie. Aber er hat schon aufgehängt.

Als es soweit ist, sind alle pünktlich zur Stelle: Anke mit Carola, ihrer Mutter, Frau Bauer aus der Buchhandlung, Holger, Frau Schildkraut, die sich über die Einladung erst ein bißchen gewundert, sie dann aber mit Vergnügen angenommen hat, Mams, die Fränze schon beim Aufwachen mit einem Schokokuchenherz überraschte, und Johannes, der sein Geschenk mit großer Geste auf dem Gabentisch ablegt. »Ausgepackt wird erst, wenn wir gesungen haben.«

Dazu kommen sie erst einmal nicht. Dreimal schellt es. Ein Mädchen bringt einen Fleurop-Blumenstrauß, ein Postbote übergibt ein Telegramm. »Von Opa Friedrich und von Oma Suse«, ruft Mams.

»Lies vor«, bittet Johannes.

»Sei nicht vorlaut.«

»Lies vor«, ruft nun auch Fränze.

Frau Schildkraut setzt sich unterdessen, mustert abschätzend das ramponierte Klavier in der Wohnzimmerecke und beginnt mit Carola zu flüstern.

Mams liest das Telegramm vor:

MIT DER DREIZEHN GLÜCK, LIEBSTE FRÄNZE, UND DIE ERFÜLLUNG VON EIN PAAR BESCHEIDENEN WÜNSCHEN. DEINE OMA SUSE UND OPA FRIEDRICH.

»Bescheiden! Erzieherisch selbst im Telegramm«, stellt Johannes fest und trinkt, was Fränze freut, heimlich aus dem bereitstehenden Sektglas.

Das zweite Telegramm bringt eine dicke, schnaufende Botin. Sie lächelt verständnisvoll. »Da feiert wohl jemand Geburtstag.«

»Meine Tochter«, erklärt Mams.

»Ich«, meldet sich Fränze aus dem Hintergrund.

»Gratuliere«, ruft die Postlerin.

»Wer ist hier der Absender?« fragt Johannes.

Mams zieht das Blatt aus dem Umschlag. »Meine Mutter!« Wieder liest sie vor:

ALLES GUTE UND EINE SEGENSREICHE ZUKUNFT WÜNSCHT, LIEBE FRÄNZE, DEINE GROSSMUTTER.

»Na ja«, meint Johannes, unterläßt aber jede weitere Bemerkung, da Mams ihm einen mahnenden, keineswegs freundlichen Blick zuwirft.

Versaut mir bloß nicht meinen Geburtstag, denkt Fränze und fragt: »Wann wird denn gesungen?«

»Sofort.« Mams stimmt an: »Happy birthday to you! – Alles Gute für dich!« Dabei gerät ihre Stimme ins Wackeln. Johannes setzt sogar mit seiner Stimme kurz aus.

Holger und Anke sorgen mit festen Stimmen dafür, daß die Gratulation ungekürzt endet.

Nun kann Fränze wirbeln, auspacken. Das Buch von

Mams! Die Noten von Frau Schildkraut! Der kleine Strauch im Blumentopf von Holger! Das Lexikon von Frau Bauer! Die Platte von Johannes! »Ach!« kann sie endlich ausrufen. »Toll!« Kann allen um den Hals fallen, auch Holger, und sich von Carola und Frau Schildkraut umarmen lassen.

Sie prosten einander zu. Ein Gläschen Sekt ist ihr von Mams bewilligt. Ein halbes zusätzlich braucht keine Sondergenehmigung. Frau Bauer schenkt es ihr mit einem Augenzwinkern nach.

Sie reden miteinander und aufeinander ein. Mams erzählt von dem Buch, das sie ihr geschenkt hat: *Maikäfer, flieg!* von Christine Nöstlinger. »Es spielt in Wien, Fränze, während des Krieges und kurz nach dem Krieg. Denke aber nicht, daß es eine Kriegsgeschichte ist, nein.«

Holger, der das Buch mag, beginnt ebenfalls zu erzählen, bis Fränze abwehrend die Hände hebt. »Ich möcht es doch selber lesen!«

Von Johannes hat sie eine Platte bekommen. Das G-Dur-Violinkonzert von Vivaldi. Bloß das Orchester. Das Solo ist für sie ausgespart.

»Das gibt's nicht!«

»Da kannst du in fabelhafter Begleitung geigeln. Das Orchester steht dir zur Verfügung. Und es ist eins der besten.«

Genau dieses Konzert hat sie in den letzten Wochen manchmal für sich probiert, den ersten Satz.

»Hol die Noten, Fränze, bitte.«

Sie ziert sich.

»Spiel nicht den Star.«

So holt sie die Geige, legt die Noten vor sich auf den Ständer. Johannes hebt den Tonarm auf die Platte. »Jetzt!«

Alle warten gespannt. Sie klemmt das Instrument unters Kinn. Das Orchester eilt ihr wie im Tanz voraus. Sie kennt ihren Einsatz. Frau Schildkraut gibt ihn ihr, wie ein Dirigent. Sie schafft es. Ein bißchen wacklig. Sie hört die Geige singen, über dem Orchester, doch dann wird's zu schnell, und sie fliegt raus.

Johannes springt auf: »Das kriegst du bald hin«, tröstet er. »Wenn ich euch das nächste Mal besuche ...« Weiter kommt er nicht.

»Ich üb, wann ich mag«, sagt Fränze.

Gleich nach dem Abendessen – es gibt Würstchen und bunten Kartoffelsalat, eine Spezialität von Mams – verabschieden sich die Gäste. Bis auf Johannes, der zur Verblüffung von Fränze hocken bleibt, sich mit Mams in ein Gespräch über die Buchführung im Buchladen vertieft, danach komisch von seinem Beamten im Arbeitsamt erzählt.

Ohne gute Nacht zu wünschen, verzieht sie sich. So soll es bleiben, wünscht sie. Die beiden sollen sich wieder verstehen wie »vorher«.

Im Bad versucht sie sich so leise wie möglich die Zähne zu putzen, dann huscht sie über den Flur in ihr Zimmer. Steif vor Furcht, dieses unerwartete Glück zu stören, liegt sie im Bett und horcht.

Sie reden. Mams lacht leise auf.

Johannes stimmt in ihr Gelächter ein. Fränze döst ein und wacht auf, weil die Stimmen sich verändert haben. Sie schreien. Vor Schreck und Entsetzen zieht sie die Beine gegen die Brust, hält den Atem an.

Johannes brüllt. Mams erwidert kreischend. Sie schreit auf. Jetzt schlägt er. Das weiß Fränze. Sie spürt die Schläge, als würde sie von ihnen getroffen.

Die Wohnungstür wird zugeworfen.

Kurz darauf kommt Mams ins Zimmer, sie macht kein Licht an, tappt im Dunkeln auf das Bett von Fränze zu, ein schmaler, krummer Schatten. Fränze hebt die Decke. Mams legt sich neben sie.

Fränzes Stimme klingt heiser, als sie sagt: »Das war doch mein Geburtstag.«

Mams drückt ihre Stirn gegen Fränzes Backe. »Und wir schaffen es, alles kaputtzumachen.«

Elf

Endlich fühlt sich Fränze mal wieder pudelwohl. Seit Tagen watet sie durch grauen Mulm. Dieser Dezembernachmittag im Eislaufstadion hat sie aufgeputscht.

Auf dem Nachhauseweg stellen Anke und Evi sogar fest, daß Fränze ihnen »echt neu« vorkommt. Die Luft ist kalt und klar. Der Hauch springt als weißes Wölkchen aus ihrem Mund.

Von innen her jedoch glüht sie. Sie hat Lust gehabt, sich zu bewegen, schnell zu sein, auf den Schlittschuhen herumzusausen. Wenn sie bei einer Pirouette hinflog, war es ihr egal.

Die drei Mädchen beschließen, zu Fuß zu gehen. So sparen sie das Straßenbahngeld.

Manchmal bleiben sie vor Schaufenstern stehen, diskutieren über Kleider und Blusen, über Hosen und Schals, bis sie sich zu streiten beginnen, weil Fränze einen langen, bunten Schal fetzig findet und Anke ihn für grausam hält.

An dem Maronenverkäufer können sie nicht vorbei, der Duft der Maronen verbündet sich mit ihrem Appetit. Fränze braucht gar nicht erst in der Geldbörse nachzugucken. Ihr Geld ist abgezählt, das muß für die Woche reichen. Mams hat ihr Taschengeld gekürzt. »Du kriegst immer noch etwas mehr als die Hälfte«, hat sie Fränze zu trösten versucht. »Johannes fehlt eben.«

Neuerdings achtet Mams auf die Ausgaben, schreibt alles, was sie einkauft, in ein Büchlein. Fränze versteht ihre

Sorgen und ärgert sich trotzdem. Alles geschieht wegen Johannes. Und den begreift kein Mensch mehr. Sie ist inzwischen überzeugt, daß er überhaupt nicht arbeiten will.

»Magst du Maronen?« fragt Anke.

»Nö.« Fränze verzieht ihr Gesicht, als würden ihr gegrillte Spinnen angeboten.

»Ich schenk dir eine Tüte, Fränze.«

»Nein.«

»Du bist ganz schön unfreundlich.«

Der Mann schiebt ein paar Kastanien auf das Schäufelchen und versenkt sie blitzschnell in Fränzes Manteltasche. »Kostenlose Handwärmer!« Dann kümmert er sich nicht mehr um die Mädchen.

»Du wirst immer empfindlicher. Schon ein Fliegendreck kann dich beleidigen«, sagt Anke ärgerlich.

Fränze will antworten, läßt es aber bleiben, fischt eine Marone aus der Tasche, schält sie, steckt sie in den Mund.

Die unterirdische Ladenstraße neben der U-Bahn-Station, die B-Ebene, lassen sie nie aus, wenn sie in der Stadt spazieren. Nebeneinander rennen die Mädchen die breiten Treppen hinunter.

Die unterirdischen Gänge sind erfüllt von einer zarten, wunderschönen Musik. Irgendwo, in einer Ecke, spielt jemand Flöte.

»Da muß ich hin«, sagt sie und sprintet los. Anke und Evi kommen ihr kaum nach.

Sonst wird hier meistens Gitarre gespielt oder gesungen, Flöte ist neu.

Der Junge ist dünn, blaß, sieht aus, als hätte er schon ein paar Nächte nicht geschlafen. Er steht, gegen eine Eisentür gelehnt, auf der ein Schild vor Hochspannung warnt, und spielt mit geschlossenen Augen. Ein paar Leute lauschen andächtig.

Fränze findet den Flötisten unglaublich gut.

»Das ist von Bach.«

Anke und Evi ist es egal, von wem die Musik ist. »Prince ist mir lieber«, mault Evi.

Nach ein paar Minuten verabschieden sie sich. »Bis morgen, Fränze.«

Im Weglaufen ruft Anke: »Du kannst hier ja mal auf deiner Geige was vorspielen.«

Fränze guckt ihr erst verblüfft, dann nachdenklich nach. Während sie dem bleichen Musikanten zuhört, setzt sich Ankes eher spöttischer Vorschlag in ihrem Kopf fest.

Der Flötist macht eine Pause. Sie verläßt ihn, geht heim.

Mams, mit der sie unbedingt reden muß, ist nicht da. Die Wohnung kommt Fränze entsetzlich leer und verlassen vor.

Sie läuft über den Flur, in alle Zimmer, ins Bad, in die Küche und schmeißt die Schlittschuhe so neben das Bett, daß die Tapete einen Schmiß abkriegt.

Auf dem Küchentisch liegt ein Zettel. Mams schreibt, sie bleibe über Nacht wieder im »Hinterzimmer«. Damit meint sie die Ladenstube in der Buchhandlung. »Mir fällt die Decke auf den Kopf«, schreibt sie. Fränze denkt: Die tut, was ihr paßt. Genauso wie Johannes. Mir fällt die Decke auch auf den Kopf, wenn sie mich allein läßt. Darauf kommt sie nicht. Johannes erst recht nicht. Sie hat Mams von dem Flötisten erzählen wollen.

Sie schmiert sich ein Brot, trinkt kalten Kaffee. Versucht ein paar Läufe auf der Geige. Schiebt eine Kassette ein, hört erst Prince, dann Jascha Heifetz, den tollen Geiger.

»Asos«, schreit sie gegen die Wände, »Arschlöcher, Penner!«

Wahrscheinlich petzt Frau Hilgruber morgen bei Mams. Dann beteuert sie stets: »Ich kann ja aus meinem Herzen keine Mördergrube machen.«

Fränze kann sich das Herz der alten Hilgruber vorstellen: Aufgeklappt pocht es trotzdem noch weiter, und mittendrin zappeln lauter winzige Mörder. Das ist Frau Hilgrubers Herz, das keine Mördergrube sein will.

Sie ruft bei Holger an: »Ich hab was Tolles vor«, sprudelt es aus ihr heraus. »Morgen nachmittag geigle ich in der B-Ebene. Nicht für mich. Für Johannes oder überhaupt für die Arbeitslosen. Das ist noch besser. Ist mir eben gerade eingefallen. Nur für Johannes, das wäre zu persönlich. Meinst du nicht auch? Sag doch was, Holger.«

Dem hat es die Sprache verschlagen. Fränze ist schon nicht mehr sicher, ob er überhaupt noch am Telefon ist, bis er leise fragt: »Du, ist das denn erlaubt?«

»Der hat doch auch geflötet.«

»Vielleicht hat der vorher mit der Polizei verhandelt, da gibt's Scheine.«

»Wenn der flötet, kann ich auch geigeln.«

»Sag nicht immer geigeln. Das heißt geigen.« Plötzlich hat er wieder Oberwasser.

»Bei mir heißt das geigeln.« Sie stampft mit dem Fuß auf. Das kann er ja nicht sehen. »Ich geigle dir gleich was, du ...« Sie verschluckt das Schimpfwort.

»Ja?« fragt Holger. Als sie nichts antwortet, warnt er noch einmal: »Laß es ja bleiben. Wir reden morgen in der Schule darüber.«

»Ich tu's. Du kannst sagen, was du willst.« Fränze ist sich ganz sicher. Sie knallt den Hörer auf die Gabel.

Anstatt Hausaufgaben zu machen, schreibt sie einen Brief an Oma Suse und Opa Friedrich. Den Brief hat sie schon länger vor. Im Augenblick fühlt sie jedoch genügend Schwung. So muß sie sich auch nicht jedes Wort überlegen.

Lieber Opa Friedrich, liebe Oma Suse,
das ist ein dringender Brief, den muß ich Euch schreiben. Der Johannes ist ja Euer Sohn. Da müßt Ihr auch wissen, was alles mit ihm passiert. Bestimmt hat er Euch gesagt, daß er aus seinem Betrieb entlassen worden ist. Von Leuten, die mal seine Freunde gewesen sind. Tolle Freunde, kann ich nur sagen. Aber das hilft nun auch nichts. Johannes ist ziemlich fertig. Er ist auch von uns weggezogen. Mams und ich wohnen allein. Wahrscheinlich hat er Euch davon nichts geschrieben. Er wohnt mit einer Frau, die er und Mams vom Studium kennen. Die heißt Dora. Ich finde sie gar nicht so übel. Bloß wie er sich benimmt, das finden Mams und ich nicht gut. Er will, glaub ich,

gar nicht arbeiten. Oder so. Vielleicht könntet Ihr ihn und uns mal besuchen kommen. Denn Ihr seid ja seine Eltern. Und vielleicht tut er Euch zuliebe was, auch wenn er schon erwachsen ist. Mir geht es nicht schlecht. Im Januar spiele ich mit dem Schulorchester in der Stadthalle. Und morgen in der B-Ebene.
Eure Fränze.

Zum Glück findet sie in der Groschenschatulle von Mams – da sammelt sie immer Münzen für die Parkuhr – eine Briefmarke. Sie rennt noch einmal aus dem Haus zum Briefkasten um die Ecke. Als sie eine Stunde später, völlig erschöpft, die Decke über den Kopf zieht, hat sie das Gefühl, etwas geschafft zu haben.

Zwölf

Niemand stellt sich ihr in den Weg. Kein Polizist taucht auf. Keiner wundert sich, und keiner möchte um Erlaubnis gefragt werden.

Der Flöter ist nicht da. Dafür ein singender Gitarrist. Sie sucht sich einen Platz, von wo aus der kaum zu hören ist. Dafür donnern U-Bahnen nah vorbei.

Sie packt die Geige aus. Holger, der zusammen mit Anke aus sicherer Entfernung den Auftritt beobachtet, kommt angesaust, stellt blitzschnell den Notenständer auf und zieht sich wieder zurück.

Bedachtsam rollt Fränze einen breiten Streifen Papier aus, ihr Plakat.

Jeden Buchstaben hat sie farbig ausgemalt:

ICH SPIELE FÜR JOHANNES
UND ALLE ARBEITSLOSEN.
DAMIT IHR AN SIE DENKT!

Das war die neunte oder zehnte Fassung. Immer wieder hat sie neue Sätze aufgeschrieben.

Ihre Hand bebt ein wenig, als sie die Geige stimmt. Sie ist so mit sich und der Geige beschäftigt, daß ihr gar nicht auffällt, wie sich Leute um sie scharen, neugierig warten.

Das Stück aus der *Partita* von Bach, hat sie viele Male geübt. Mit dem will sie beginnen. Sie findet es am schönsten. Es ist auch am schwersten. Sie wartet, bis ein Zug vorüber ist, und setzt schnell den Bogen an. Der Klang überrascht sie. Er ist laut und hallt nach. Fast wie in einer leeren Kirche. Die Geige tönt schön. Sie braucht die Noten gar nicht, macht die Augen zu und spielt. Ein paarmal patzt sie und muß neu ansetzen.

Bald hat sich ein dichter Menschenring gebildet. Erwachsene und Kinder hören ihr zu. Zufrieden sieht sie, daß viele ihr Plakat studieren. Es geht! singt es in ihrem Kopf. Als gehörten die Worte zum Geigenspiel: Es geht! Es geht! Einige Zuhörer werfen Münzen in den Geigenkasten. Das Geld ist ihr nicht wichtig, und sie weiß nicht, wofür sie es gebrauchen soll.

Sie spielt.

Fränze fühlt sich immer sicherer. Sie muß aufpassen, daß sie nicht übermütig wird. So ist ihr mancher Griff, manche Tonfolge noch nie gelungen. Selbst nicht im Konzert, wenn sie lange geübt hat.

Holger und Anke haben sich durch die Menge gedrängt und unmittelbar vor ihr aufgepflanzt. Beide strahlen. Verdammte Schisser, denkt Fränze, wenn's gut läuft, trauen sie sich.

Sie fragt sich, wie lange sie weitergeigen soll. Diese Entscheidung wird ihr abgenommen.

Die beiden Polizisten sind ihr erst gar nicht aufgefallen. Sie stehen mit verschränkten Armen – wie Zwillinge – in der Menge und beobachten Fränze.

Nicht unfreundlich. Solange ich geige, denkt sie, werden die mich nicht ansprechen. Sie täuscht sich.

Beide treten im Gleichschritt nach vorn. Beide verziehen ihr Gesicht zu einer amtlichen Miene. Beide nicken ihr auffordernd zu. Beide sagen: »Entschuldigung.«

Der

Fränze schaut mit schräg gelegtem Kopf zu ihnen auf. Als sie weiter zu geigen versucht, verhaut sie sich.

Der eine wird nun laut: »Kannst du mal aufhören?« Der andere fügt ein scharfes »Bitte!« hinzu.

Anke verdrückt sich in der Menge, wird einfach unsichtbar. Holger dagegen hat hinter den Polizisten Stellung bezogen.

Sie läßt Bogen und Geige sinken und wartet ab.

»Wer ist Johannes?« fragt der eine Polizist. Der andere streckt mit einem Ruck den Arm aus und zeigt auf Fränzes Plakat.

»Johannes?« Sie wiederholt die Frage und lauscht ihr nach, als wisse sie es nicht genau.

Holger springt ihr bei.

Die Polizisten machen in einer Bewegung auf dem Absatz kehrt und nehmen ihn ins Visier.

»Das ist der Vater von Fränze«, erklärt er, »und der hat ... der ist arbeitslos.«

»Bist du ihr Bruder?« fragt der eine Polizist, worauf der andere ihm ins Wort fällt: »Er hat doch gesagt, *ihr* Vater.«

»Ich gehe mit Fränze aufs Gymnasium. Wir sind Freunde.«

»So, Freunde ...« bemerkt der eine Polizist spöttisch, während der andere sich wieder Fränze zuwendet: »Hast du eine Erlaubnis, hier zu spielen?«

»Braucht man die?«

Der Polizist mustert sie, ohne zu antworten. Sein Kollege fragt: »Wie alt bist du denn?«

Holger schluckt so hart, daß es zu hören ist. »Also«, sagt

er sehr laut, »ich finde das nicht in Ordnung, daß Sie eine Dame nach ihrem Alter fragen.«

Er bringt den Satz kaum zu Ende. Die Leute applaudieren, lachen.

»Gut so, Junge«, schreit jemand. »Warum darf das Kind denn nicht weitergeigen?« fragt eine Frau.

Die Polizisten haben es plötzlich eilig. Der wachsende Tumult ist ihnen unangenehm.

»Ich bin dreizehn«, sagt Fränze leise.

»Wissen deine Eltern Bescheid?« fragt ebenso leise einer der Polizisten. Fränze schüttelt den Kopf.

»Soll ich dir beim Einpacken helfen?«

Fränze lehnt mit zusammengekniffenen Lippen ab, kauert sich hin, verstaut die Geige. Holger hilft. Sie findet ihn prima. Später, wenn alles vorbei ist, muß sie ihm das sagen.

»Was geschieht mit dem Mädchen? Was haben Sie mit den Kindern vor?« Der Kreis um die Polizisten, Holger und Fränze wird enger.

»Nichts! Sie darf, da sie minderjährig ist, hier nicht auftreten«, erklärt einer der Polizisten. Es hört sich aber an wie eine Entschuldigung. Es soll wohl auch eine sein. Die beiden Männer nehmen Fränze in ihre Mitte.

Da springt ihnen eine junge Frau in den Weg, reißt eine Kamera vors Gesicht, blitzt – einer der Polizisten hascht nach ihr, aber sie hebt warnend den Arm. »Presse!« Dann fragt sie Fränze: »Wo wohnst du denn?«

Fränze überlegt, ob sie Auskunft geben soll. Wieder ist Holger schneller. Er sagt Fränzes Namen, die Straße, in der sie wohnt, und seinen Namen nennt er auch. Worauf die Fotografin eine Visitenkarte aus der Jackentasche fischt und sie Fränze in die Hand drückt. »Ich bin die Barbara Fink. Ich bin von der Zeitung. Ich hab dir zugehört. Du spielst gut. Daß du es für deinen Vater und für die andern Arbeitslosen tust, finde ich toll. War das deine Idee?« fragt sie.

Fränze hat das Gefühl, von einer wunderbaren Kraft getragen zu sein. »Ja!« Es ist ihr egal, wo sie die Polizisten hinbringen und was sie sie fragen würden. Sie hat für Johannes gespielt. Viele Menschen haben ihr zugehört, viel mehr als dem Flötisten.

Holger bleibt ihnen auf den Fersen. Oben auf dem Platz vor der Treppe lockert sich der Griff um Fränzes Arm. Der eine Polizist schreibt ihren Namen und ihre Adresse auf. »Ganz ohne Folgen wird das nicht bleiben«, sagt er.

Dann fliegen sie wie Rennläufer aus dem Startblock. Fränze ist um eine Spur fixer als Holger, obwohl sie den Ranzen auf dem Buckel und den Violinkasten in der Hand hat. »Wir müssen bei Mams vorbei in der Buchhandlung.«

Der Bus wartet wie bestellt auf sie.

»Gehst du voraus, Holger?« Mit einem Mal fehlt ihr der Schwung, und sie kriegt Angst.

»Warum?«

»Es kann ja sein, daß die Polizei Mams schon angerufen hat.«

»Das ist überhaupt nicht möglich.« Holger tippt sich an die Stirn. »Du hast denen ja bloß die Adresse von eurer Wohnung angegeben.«

»Trotzdem«, bittet Fränze.

Holger stemmt die Ladentür auf. Mams steht hinter der halbrunden Theke.

»Was ist denn?« fragt Mams.

Fränze kommt nicht zu Wort, will auch nicht zu Wort kommen. Holger erzählt von Anfang an. Schrecklich umständlich. Jeden vierten Satz unterstreicht er mit einem »Ganz bestimmt, so war's«.

Frau Bauer, Mams und zwei Kundinnen hören gefesselt zu. »Das gibt's doch nicht!«

»Doch, Fränze ist sogar fotografiert worden. Von der Presse.«

»Das kann nicht wahr sein.«

Holger wird ärgerlich: »Ich hab doch gesagt, daß es stimmt.«

Nun kann Fränze das Ende schildern: »Und als wir dachten, die schleppen uns ab, haben uns die Polizisten laufenlassen. Ohne Strafe. Die kann aber noch kommen.«

»Und?« fragt Mams.

»Nein, so was«, staunt Frau Bauer.

»Die Kinder heutzutage«, kommentiert eine Kundin und schüttelt den Kopf.

Mams hat sich wieder gefaßt. Fränze zieht vorsorglich den Kopf ein. Sie ahnt, daß sie nicht ungeschoren rauskommt. Blitzschnell hat Mams ihren Stand hinter der Kapitänsbrücke aufgegeben. »Du bist ja wirklich groß, Fränze, das muß ich schon sagen. In der B-Ebene für Johannes und sämtliche Arbeitslosen der Republik zu geigen ... Wieviel hast du denn gesammelt?«

Das Geld hat Fränze völlig vergessen. »Ich weiß nicht, Mams, ich habe es noch nicht gezählt.«

Holger weiß es besser. »Eine Menge. Ich denke, so zwanzig Mark oder mehr.«

»Prima. Prima«, Mams reagiert angestrengt witzig.

Fränze tritt einen winzigen Schritt zurück.

»Nachdem du die halbe Welt auf den Kopf gestellt hast, wäre Feigheit das letzte.«

»Ich bin nicht feige.«

»Nein?«

»Nein!«

»Vorher hat übrigens Opa Friedrich hier angerufen.«

»Ja?«

Mams beugt sich nach vorn und starrt Fränze wütend ins Gesicht. »Ja? Das fragst du auch noch mit Unschuldsmiene. Du hast die Großeltern doch alarmiert. Und weißt du, was passiert? Opa Friedrich ist im Anmarsch. Ich konnte es ihm nicht ausreden, du B-Ebenen-Virtuosin.«

Fränze staunt: »Daß Opa Friedrich meinen Brief heute schon gekriegt hat ...«

»Wenn du schon mal einen Brief schreibst, hat es die Post besonders eilig. Das ist doch klar.«

Frau Bauer beginnt zu lachen. »Euch zuzuhören, ersetzt eine Fernsehschau.«

Auch die beiden Kundinnen haben sich nicht von der Stelle gerührt.

»Kann ich nach Hause?«

Mams macht mit dem Arm eine Schleuderbewegung. »Verdufte. Laß dir für heute keine weitere Untat mehr einfallen. Ich flehe dich an.«

»Klar!«

»Ich paß auf sie auf«, verspricht Holger.

Damit hat er sich allerdings bei Mams verrechnet. »Du paßt lieber auf dich selber auf und läßt die Fränze jetzt in Ruhe.«

Zu Hause wird Fränze von einem klingelnden Telefon empfangen. Noch außer Atem, nimmt sie den Hörer ab. »Ja?«

»Hier ist Barbara. Erinnerst du dich? Die Fotografin.«

Fränze nickt so eifrig, daß sie mit den Zähnen gegen den Hörer schlägt.

»Ist was?« fragt die Reporterin.

»Nein.«

»Erzähl mir mal von deinem Vater. Für den hast du doch gegeigt.«

Fränze setzt sich auf die Diele, lehnt sich gegen die Wand, denkt nach.

»Bist du noch dran?«

»Ja«, erwidert Fränze. Dann erzählt sie, wie Johannes entlassen wurde, wie er von zu Hause wegging, wie sie Geburtstag gefeiert haben, wie alles immer schwieriger wurde und keiner mehr mit dem andern zu reden wagte.

Die Reporterin unterbricht sie nicht ein einziges Mal. Manchmal hört Fränze ihren Atem. Am Schluß sagt sie: »Danke. Vielleicht komme ich dich mal besuchen, Fränze.«

»In den nächsten Tagen geht das nicht. Da ist mein Opa hier.«

»Guck morgen mal in die Zeitung.«

»Kommt da mein Bild? Wie mich die Polizisten holen?«

»Ich hab dich auch beim Geigen fotografiert.«

»Das hab ich gar nicht bemerkt.«

»Ich wollte dich nicht stören, Fränze. Wiederhören.«

Fränze behält den Hörer in der Hand. Eine Weile bleibt sie sitzen, den Kopf zurückgelegt. Hoffentlich kriege ich mit Johannes keinen Ärger, denkt sie.

Dreizehn

Als es schellt, schmiert Mams eben die Schulbrote, und Fränze putzt sich die Zähne. Mit der Zahnbürste im Mund läuft Fränze über den Flur und reißt die Tür auf. Vor ihr steht Opa Friedrich und strahlt übers ganze Gesicht. In der Hand hält er ein zerbeultes, schäbiges Köfferchen, mit dem vielleicht schon sein Opa auf Reisen gegangen war. Er läßt es einfach fallen, beugt sich nieder, packt Fränzes Kopf zwischen seinen Händen und drückt ihr einen knallenden Kuß auf die Stirn. Um ihm und sich nicht weh zu tun, hat Fränze noch vorsorglich die Zahnbürste ausgespuckt.

Opa Friedrich guckt sie prüfend an: »Gut schaust du aus, Franziska. Ein großes Mädchen bist du geworden und ein hübsches dazu.«

Womit er Mams, die aus der Küche gekommen ist, zum Widerspruch reizt. Sie hat Opa Friedrichs Koffer zur Seite geschoben und die Zahnbürste von Fränze zertreten. »Na ja, übertreib mal nicht. Sonst wird die noch eitler, als sie schon ist.« Weiter kommt sie nicht. Der alte Mann drückt Mams an sich, blinzelt dabei Fränze zu: »Ach, ihr zwei Weiber, meine Suse läßt euch grüßen und euch ausrichten, daß ihr mich ordentlich und freundlich behandeln sollt.«

Mams befreit sich lachend aus der Umarmung: »Das wird geschehen. Deine Suse braucht sich keine Sorgen zu machen. Vormittags mußt du eben mit dir selber auskommen. Da bin ich in der Buchhandlung, und Fränze ist in der Schule.«

Opa Friedrich nimmt seine schwarze Mütze für einen Augenblick ab, wischt sich mit der flachen Hand über die Glatze, die wie gebohnert glänzt, und setzt sich die Mütze wieder auf. »Um mich müßt ihr euch nicht sorgen. Ich werde mich schon nützlich machen. Bestimmt ist eine Menge zu reparieren. Sicher sind ein paar Schrauben lokker ...« Er lacht.

Fränze findet Opa Friedrich prima. Alles ist groß und rund an ihm, auch der Kopf. Johannes gleicht ihm überhaupt nicht. Und der ist sein Sohn.

»Laßt euch nicht stören.« Er hängt den Mantel an die Garderobe. Mams schiebt seinen Koffer in Fränzes Zimmer. Ohne weitere Umstände nehmen sie am Küchentisch Platz.

Mit Inbrunst und gewaltigen Geräuschen trinkt er Kaffee.

Als Mams sich verabschiedet und Fränze den Ranzen schultert, schiebt er energisch die Tasse zur Seite: »Weißt du was, Fränze, ich begleite dich zur Schule.« Er gibt ihr einen Schubs, schiebt den Ranzen auf ihrem Rücken zurecht: »Los! Los! Jetzt wird nicht getrödelt. Ich bin zwar müde von der Reise, aber ich kann mich ja nachher, wenn ihr beide beschäftigt seid, aufs Ohr legen.«

Sie trotten eine Weile nebeneinander her, bis er behauptet, daß er eine Zentnerlast mit sich schleppe: »Dieser Sohn, mein Sohn, dieser Flusenkopf!« So beginnt er, und Fränze findet, daß er seinen Johannes ungeheuer gern haben muß.

»Bist du noch in der Zeit, Fränze«, fragt er, »oder müssen wir rennen?«

Sie beruhigt ihn, da er ziemlich heftig schnauft. Genaugenommen ist sie schon ziemlich knapp dran. »Ich schaff's schon noch.«

»Also Tempo«, befiehlt er, »paß auf«, er stützt sich ganz leicht auf ihre Schulter, »du bestimmst die Geschwindigkeit. Wahrscheinlich wirst du in der Schule wegen diesem Artikel angesprochen ...«

Fränzes Herz macht einen Satz. Sie läßt sich nichts anmerken. »Was für ein Artikel?«

»Ach, ich hab die Zeitung in der Straßenbahn liegengelassen. Spiel bloß kein unschuldiges Lämmchen. Du weißt doch, daß etwas über dich geschrieben wird.«

»Ja, die Reporterin hat extra noch zu Hause angerufen.«

Jetzt stützt er sich ein bißchen fester auf ihre Schulter. »Also, da bist du darauf vorbereitet. Ehrlich gesagt, mir behagt die Sache nicht. Und Johannes wird alles andere als erfreut sein. Ich weiß« – seine Hand wird wieder leichter – »du hast es gut gemeint. Es war eine prächtige Idee. Nur ...« Er macht eine kleine Pause, läuft schneller. »Du bist auch auf zwei Fotos zu sehen. Auf dem einen geigst du, mittendrin in einer Menschenmenge. Die Schrift auf dem Transparent ist gut zu lesen. Und auf dem zweiten Bild wirst du von zwei Polizisten abgeführt.«

»Nicht abgeführt.«

»Verhaftet?«

»Verhaftet erst recht nicht.«

»Lassen wir das.« Opa Friedrich ist ziemlich ungehalten. »Ich hoffe, dein frischer Ruhm steigt dir nicht in den Kopf. Du hast Johannes helfen wollen. Nicht nur ihm, sondern anderen Arbeitslosen auch. Das ist lobenswert. Doch kannst du dir nicht vorstellen, daß dein Vater ein solches Brimborium gar nicht wünscht?«

Opa Friedrich zieht eine Grimasse, und die Mütze rutscht ihm nach vorn. »Sag mal, was hast du mit dem Bettelgeld gemacht?«

Mit einer heftigen Drehung windet sie sich aus seinem Griff. Diese Frage findet sie einfach gemein. »Das ist kein Bettelgeld.«

Er bemüht sich, Schritt mit ihr zu halten. »Gut, nennen wir es Honorar. Was ist aus dem geworden?«

»Ich hab es aufgehoben. Es sind genau vierundzwanzig Mark achtzig.«

»Kann ich die haben? Nicht für mich. Da gibt es einen Verein, der Kindern von Arbeitslosen hilft.«

»Das bin ich aber auch.«

Opa Friedrich packt sie an ihrem Ranzen und zieht sie wieder neben sich. »Das stimmt. Bloß geht es dir trotz allem ganz ordentlich. Meinst du nicht auch?«

Sie guckt zu ihm hoch. Seine Nase hat vom Frost einen lila Schimmer. »Ja, das stimmt.« Sie reißt sich los und ruft im Rennen: »Ich muß sausen, sonst komm ich wirklich zu spät. Du hast ja den Schlüssel zur Wohnung.«

Als sei sie schon unendlich weit von ihm entfernt, brüllt er mit voller Lautstärke zurück: »Aber heute geigst du mal nicht für Johannes!«

»Ich hab die Geige doch gar nicht dabei.«

Doch das kann er schon nicht mehr hören.

Tatsächlich hat sich die Geschichte herumgesprochen.

»Du bist ja in der Zeitung!«

»Toll, Fränze!«

Im Laufe des Vormittags legt sich die Aufregung. Sie kann wieder grübeln oder aufmerksam sein, wie es ihr paßt, und sie hat ein bißchen Angst vor Johannes.

Mit Recht. Als sie nach der sechsten Stunde über den Schulhof läuft, begleitet von Holger, sieht sie ihn schon von weitem. Er wartet am Tor, tritt ungeduldig von einem Fuß auf den andern. Hoffentlich ist er nicht blau, denkt sie.

Holger verduftet einfach.

»Wart doch!« ruft sie ihm nach. Er reagiert nicht.

Ihre Schritte werden immer kürzer. Wie in Zeitlupe geht sie auf Johannes zu.

Er schaut ihr entgegen und strengt sich deutlich an, ruhig und aufrecht zu stehen. Er sieht noch blasser aus als sonst. Mit den langen strähnigen Haaren gleicht er einem Heiligen auf einem alten Bild.

Er denkt nicht dran, ihr entgegenzukommen. Die Hände hat er in den Manteltaschen vergraben, und er mahlt mit den Kiefern. Das kann sie nicht leiden.

Drei Schritte vor ihm bleibt sie stehen. »Tag, Johannes«, sagt sie.

»Na?« Hinter diesem einen Wörtchen staut sich alles, wovor sie sich fürchtet. Noch einmal fragt er: »Na?«

Ratlos zieht sie die Schultern hoch. Als sie das früher mal tat, hat Johannes sie »mein Hühnchen« genannt. Vielleicht denkt er das jetzt auch.

»Bist du nicht erstaunt, daß ich hier auf dich warte?«

Sie schüttelt heftig den Kopf.

Mit einem Schritt ist er bei ihr, legt den Arm um sie und zieht sie mit sich. Seine Kleider riechen nach Rauch, nach

Kneipe. Am liebsten möchte sie ihm entwischen. Aber er hält sie fest.

Eine Weile gehen sie wortlos, und gleich mit seiner ersten Frage macht er sie zornig. »Sag mal, hinter diesem Unfug steckt doch Bille? Das war doch ihre Idee? Sie hat doch diese Reporterin alarmiert?«

Da muß Fränze erst einmal schlucken. Wütend schiebt sie ihre Schultern gegen seinen Arm. »Nein!« Das hört sich wie ein Krächzen an. »Nein! Mams hat überhaupt keine Ahnung gehabt. Du spinnst ja. Laß sie bloß aus dem Spiel.« Bestimmt merkt er, daß sie über sich selber erschrickt.

»Das sind ja ganz neue Töne.«

Sie zwingt ihn stehenzubleiben und schaut ihm fest in die Augen, in die müden und traurigen Augen und sagt: »Du bist auch ganz anders, Johannes.«

Ein kleines Lächeln huscht über sein Gesicht. Vielleicht bildet sie sich das nur ein. »Du hast recht. Nur finde ich es hundsgemein von dir, wenn du diesen Kram an die Öffentlichkeit zerrst und mich zum Ausstellungsgegenstand machst.«

Sie ist nahe daran loszuheulen.

Genau vor dem Schaufenster des Zoogeschäftes halten sie an. Hier hat sie, und es ist noch gar nicht so lange her, nach dem Esel gefragt. Für das Haus, das Johannes kaufen wollte. Nun kommt es ihr wie eine Ewigkeit vor.

Undeutlich gibt das Schaufenster ihr Spiegelbild wieder. Ein Mädchen mit struppigen Haaren und einem dicken, langen Mantel neben einem dünnen und ein bißchen ge-

krümmten Mann. Behutsam lehnt sie sich gegen Johannes. »Ich habe das nicht gewollt.«

Seine Hand fährt fest über ihren Kopf. »Das weiß ich, Fränze. Im Grunde finde ich die Aktion toll. Bloß für mich nicht.«

Sie guckt an ihm hoch: »Für wen denn sonst?«

Sein Lachen klingt wie der Schrei eines auffliegenden Vogels.

»Kommst du wieder nach Hause, Johannes?«

»Vorerst nicht.«

»Glaubst du, daß du bald Arbeit findest?«

»Kann sein.«

»Und dann kommst du?«

»Wahrscheinlich nicht, Fränze.«

Er sagt es so, als hätte er sich längst entschieden. Und jedes Wort tut ihr weh.

»Warum nicht?«

»Vieles ist anders geworden, Fränze. Ich habe mich geändert. Diese Geschichte hat uns alle gebeutelt. Durcheinandergebracht.«

In dem Käfig hinterm Fenster beginnen drei Meerschweine Fangen zu spielen. Sie sausen wie aufgezogen hintereinander her. Fränze beobachtet ihre Jagd, und genauso wild schießen Gedanken durch ihren Kopf. Irgendwie muß sie es doch schaffen, Johannes nach Hause zu locken. Irgendwie muß doch alles wieder so sein wie früher. Opa Friedrich fällt ihr ein, und sie reißt Johannes am Ärmel, als wäre der ein Glockenseil: »Du!«

»Ich habe nicht mehr viel Zeit, Fränze. Ich muß weg, bin verabredet.«

»Mit Dora?« fragt sie.

»Ja.«

»Opa Friedrich ist auf Besuch. Wegen dir.«

»Das kann doch nicht wahr sein!«

»Er ist heute früh mit dem Zug gekommen. Jetzt schläft er wahrscheinlich.«

»Hast du ...?«

Sie läßt ihn nicht weiterreden. »Ja, ich habe ihm geschrieben. Ich finde es unglaublich gut, daß er mit dir sprechen möchte.«

Johannes schüttelt sich wie ein Hund, der aus dem Wasser kommt. »Ihr könnt mich alle mal mit eurer verdammten Hilfsbereitschaft.«

Sie hält ihn am Mantel fest. Soll sie ihm sagen, daß sie ihn furchtbar mag, daß sie ihn braucht? Obwohl er das weiß, benimmt er sich schlimm.

Er macht sich los, schnell, sie spürt seine Lippen auf ihrer Stirn, schließt die Augen, und als sie sie wieder öffnet, sieht sie ihn schon die Straße überqueren.

»Johannes!« schreit sie, stampft wütend mit dem Fuß auf. Er blickt sich nicht um.

Die Meerschweinchen im Schaufenster unterbrechen ihren rasenden Lauf und kuscheln sich zitternd aneinander.

Vierzehn

Mams und Opa Friedrich fallen, als sie nach Hause kommt, zweistimmig über Fränze her. Was man in der Schule über den Zeitungsartikel gesagt habe? Wie es ihr überhaupt gehe? Ob sie die Geschichte schon habe lesen können? fragt Opa Friedrich. Es sei deswegen sogar schon angerufen worden.

Mams reißt die Arme hoch und sagt: »Ich könnte diese Person in der Luft zerreißen.«

Fränze verliert den Durchblick und fragt: »Wen?«

»Na, diese Reporterin.«

»Ich hab den Artikel noch immer nicht gesehen.«

Wieder bekommt sie eine zweistimmige Antwort: »Wir haben die Zeitung ja hier.« Und Opa Friedrich ergänzt: »Sogar in zwei Exemplaren.« Er lüpft die Mütze, um sich mit dem Taschentuch die Glatze zu polieren, und Fränze fragt sich zum ersten Mal, warum er sie in der Wohnung unbedingt auflassen muß. Vielleicht ist es nur eine blöde Angewohnheit, denkt sie.

»Erst wird gegessen, danach kannst du deine Geschichte lesen«, entscheidet Mams.

Fränze fügt sich, ohne aufzumucken. Ihr ist die Aufregung, die sie mit dem Auftritt in der B-Ebene angestiftet hat, ohnehin allmählich unheimlich.

Beim Essen erzählt sie, daß Johannes sie an der Schule abgepaßt habe.

»Johannes? Was hat er denn gewollt?«

Fränze legt die Gabel mit der aufgespießten Bratkartoffel wieder zurück auf den Teller. »Er hat eine Riesenwut auf mich. Wegen der Zeitung.«

Mams nickt abwesend. So, wie sie jetzt aussieht, findet Fränze sie schön. Plötzlich ist alle Müdigkeit aus ihrem Gesicht verschwunden. Wenn sie grübelt, erscheint sie jünger, ihre Augen werden um eine Spur dunkler und träumerischer. Johannes sollte sie so sehen können, denkt Fränze. Aber Opa Friedrich ruft sie in die Wirklichkeit zurück: »Will Johannes sich hier mal blicken lassen?«

»Nein. Nein.« Das ganze Elend platzt aus ihr heraus. »Ich soll an allem schuld sein, hat er mir vorgeworfen, weil ich für ihn gegeigelt habe. Weil diese Frau, diese Reporterin, das alles in die Zeitung gebracht hat. Jetzt denken alle Leute, ich bin ein As, und er ist eine Flasche oder so ähnlich. Ich bin schuld dran, daß er nicht mehr nach Hause will.«

Das reicht Opa Friedrich. Er pocht auf den Tisch, daß die Teller, hüpfen und läßt sie nicht weiterreden. »Schluß damit. Wir müssen Nägel mit Köppen machen. Ich werde meinen ausgeflippten Sohn mal in seinem Hotel besuchen, und du, Fränze, wirst mich begleiten. Und dann ...«

Das Telefon unterbricht ihn. Mams verzieht das Gesicht, Opa Friedrich erhebt sich, wobei er einen Ton von sich gibt wie ein Dampfer im Nebel, geht zum Telefon, nimmt den Hörer ab und lauscht, ohne zu antworten. Erst nach einer Weile sagt er knapp: »Der Großvater.« Und schweigt erneut.

Fränze geht zum Fenster. Ab und zu treibt der Wind eine Schneeflocke vorbei. Es werden mehr und mehr. Es ist der erste Schnee in diesem Winter.

Leise sagt sie: »Es schneit.«

Mams tritt neben sie. Sie sehen beide in den immer dichter werdenden Flockenwirbel. »Schön.« Mams krault ihr den Nacken.

Die Person, der Opa Friedrich zuhört, muß eine gewaltige Quasselstrippe sein. Endlich kommt er zu Wort: »Die lassen wir mal in Ruhe«, sagt er freundlich und bestimmt. »Sie hat es gemacht, und es ist gut so. Damit reicht es. Ich danke Ihnen. Auf Wiederhören.« Mit einem flattrigen Seufzer legt er den Hörer auf und benimmt sich plötzlich wie aufgezogen: »So viel Zeit haben wir nicht mehr. Wir müssen mit Johannes ins reine kommen und er mit uns. Also gehen wir beide, Fränze und ich, ihn besuchen. Du lieber nicht, Bille! Das hätte, so wie die Dinge stehen, wenig Sinn.«

Mams pflichtet ihm bei.

Fränze spürt einen Druck auf der Brust, wie immer, wenn sie an die Kräche zwischen Johannes und Mams denkt. Sie greift nach der Hand von Mams.

»Wie Schwestern«, grinst Opa Friedrich.

»Was meinst du?« fragt Mams, obwohl sie weiß, was er meint. Sie will es, zum Trost, nur ausgesprochen hören.

Opa Friedrich schneuzt sich, rückt die Mütze zurecht: »Ihr seht aus wie Schwestern.«

Mams räumt geräuschvoll den Tisch ab, und Fränze hilft ihr dabei. »Hast du was für die Schule auf?«

»Englisch.«

»Dann mach das mal. Es hat wohl keinen Sinn, vor fünf oder sechs Johannes zu besuchen.«

Das findet Opa Friedrich auch. »Außerdem werden wir

uns telefonisch ankündigen. Aber vorher solltest du den Artikel lesen, deinen Artikel.«

Mams verzieht das Gesicht, als ob sich eine bittere Pille auf ihrer Zunge aufgelöst hätte. »Du solltest dich ein Stündchen hinlegen und ausruhen«, schlägt Mams Opa Friedrich vor. »Fränze kann das Zeug in der Küche lesen und dann lernen. Da ist es am wärmsten.«

Jeder sucht sich seinen Platz. Es wird still. Fränze faltet die Zeitung auseinander und liest, was die Reporterin über sie geschrieben hat. Die ersten Sätze schafft sie nur mit Mühe, denn sie schämt sich. Blut schießt in ihren Kopf. Doch von Satz zu Satz gewöhnt sie sich mehr daran, ihren Namen so zu lesen, als ginge es gar nicht um sie:

Fränze geigt für Johannes

Eine Dreizehnjährige nimmt Kündigung ihres Vaters nicht hin

Sie ist dreizehn, sieht aus wie ein Verschnitt von Pippi Langstrumpf und dem »frischen Kind von nebenan«, geht aufs Gymnasium und spielt Geige. Ihr Lieblingsinstrument benützte sie gestern als Waffe. Als Waffe gegen unsere Gleichgültigkeit und unseren Wohlstandsstumpfsinn.

Für Franziska H., genannt Fränze, war mit einem Mal die Familiennormalität kaputt, als ihrem Vater Johannes die Stellung als Buchhalter gekündigt wurde. Und dies von einer Firma, die er mitgegründet hat.

Der verzweifelte Mann ließ seine Familie erst einmal für Wochen im unklaren, spielte die Rolle des weiterhin Beschäftigten und zog dann von zu Hause weg. Zwei blieben zurück: Fränze und ihre Mutter Sybille, die als Buchhändlerin arbeitet. Fränze suchte tagelang nach ihrem Vater. Sie fand ihn. Nicht so, wie sie es erhofft hatte. Er lehnte es ab heimzukommen. Das tat der Dreizehnjährigen weh. Fränze hätte ihrem Vater erzählen können, daß auch bei ihr eine Menge durcheinandergeraten ist. Sie schaffte es in der Schule nicht mehr, weil sie unfähig war, etwas dafür zu tun. Das Warten war kein Zustand mehr. Sie wollte die Öffentlichkeit auf die Not ihres Vaters aufmerksam machen. Sie wollte für alle Arbeitslosen etwas tun. Für sie alle wollte Fränze in der B-Ebene geigen. Anke und Holger, ihre Freunde, halfen ihr bei den Vorbereitungen. Gestern war es soweit. Fränze trat auf für Johannes und alle, die keine Arbeit haben. Viele Menschen hörten zu, lasen das Transparent und wurden – ganz wörtlich – angerührt.

Bei unseren Ordnungshütern fand Fränze leider kein Verständnis. Sie hatte ihren Auftritt nicht amtlich gemeldet, und so mußte sie ihre Geige einpacken und wurde fortgeführt (siehe Foto). Ihre Zuhörer protestierten lautstark, darunter auch die Verfasserin dieses Berichts, die darauf hinweisen möchte, daß es ein Hilfswerk für die Kinder Arbeitsloser gibt.

An dieser Stelle schläft Fränze ein. Den Kopf zwischen den Armen und auf dem Artikel.

Mams zupft sie behutsam an den Ohren. Fränze fährt hoch.

»Jetzt hast du's ja schwarz auf weiß, wie toll du bist.«

»Ach, Mams, fang bloß nicht auch noch an wie Johannes.« Sie blickt fragend zur Küchentür. »Was macht Opa Friedrich?«

Mams holt zwei Kaffeetassen aus dem Küchenschrank, stellt sie auf den Tisch, gießt ein, sagt nach einer ziemlich langen Pause, so als sei Fränzes Frage erst jetzt bei ihr angekommen: »Er schläft in deinem Bett, Fränze. Ich werde ihn nicht wecken. Er hat vorher Johannes angerufen, und der hat euer Treffen für heute abgesagt. Ihr sollt morgen um drei im Café Kamerer sein. Wenn's beliebt.«

Fränze verbrennt sich die Lippen am Tassenrand. »Sei doch nicht so schnippisch.«

Wenn Mams so grinst wie jetzt, zwischen Lachen und Weinen, läuft ihr Mund in die Breite wie bei einem Clown. »Schnippisch nennst du das? Mir ist hundeelend zumute. Das ist alles.«

Fünfzehn

Mitten in der Nacht wacht Fränze auf. Sie hat übel geträumt. Mit Holger irrte sie in der häßlichen Gegend herum, wo sie nach der Firma von Johannes gesucht hatten. Plötzlich raste ein Feuerwehrauto nach dem andern mit Blaulicht und Sirene an ihnen vorüber. Holger bewegte die Lippen, wollte ihr was zurufen, aber sie konnte ihn nicht hören. Die Sirenen übertönten alles.

In ihrer Angst bemerkte sie zu spät, daß auf der anderen Seite der ungeheuer breiten Straße ein Mann in der Gegenrichtung rannte – fort von dem Brand, der mit hohen Flammen und schwarzem Rauch über den Dächern zu sehen war.

Der Mann war Johannes.

Sie kehrte um, lief ihm nach, doch Holger klammerte sich an ihr fest und schrie unausgesetzt: Das ist er gar nicht, nein, das ist nicht dein Johannes!

Daran ist sie aufgewacht. Sie kann sich auch nicht daran gewöhnen, mit Mams zusammen zu schlafen. Manchmal wird sie von ihrem lauten Atem geweckt oder ihrem unregelmäßigen Geschnärchel. Jetzt liegt Mams ruhig, als sei sie in der Dunkelheit nicht vorhanden.

»Mams?« fragt Fränze sehr leise.

Wie aus der Pistole geschossen kommt die Antwort: »Ja, was ist? Kannst du nicht schlafen?«

»Und du?«

»Ich liege schon eine Weile wach. Du bist eben noch schrecklich unruhig gewesen.«

Fränze schaut mit aufgerissenen Augen in die Finsternis und erzählt ihren Traum. Den möchte sie nicht noch einmal träumen. Während sie redet, kriecht Mams über die Ritze und nimmt sie in die Arme. »Du, das ist ein häßlicher Traum.«

In der Wohnung beginnt es unruhig zu werden. Es poltert, Schritte tappen.

»Das ist Opa Friedrich.« Mams läßt Fränze los und streicht aus Gewohnheit die Decke glatt. »Du, das wird nicht der letzte Alptraum bleiben. Hoffentlich ordnet sich bald alles wieder.«

»Glaubst du, daß Johannes eine Stelle bekommt?«

»Sicher. Gesetzt den Fall, er will.«

»Aber er will doch.«

»Die haben ihn nicht nur aus seiner Firma rausgeschmissen. Die haben ihn auch verletzt. Das verschmerzt er nicht so rasch.«

»Wenn er einen Job hat, zieht er wieder zu uns.« Fränze betont Wort für Wort.

»Nein!« Mams wälzt sich auf die andere Seite. Fränze spürt ihren Rücken wie ein Brett.

Nach einer Weile beginnt das Brett zu beben. Trotzdem vermeidet sie es, Mams zu berühren. Ihr geht ein Gedanke durch den Kopf, der sie tief beunruhigt und mit dem sie nach einer Weile einschläft: Der Johannes ist mein Vater. Wir sind schon so lange zusammen. Und auf einmal merke ich, daß ich ihn gar nicht richtig kenne.

Sechzehn

Fränze reißt das gestrige Blatt vom mager gewordenen Kalender in der Küche. Noch zehn Tage bis zum Vierundzwanzigsten. Aber Weihnachtsstimmung hat sich bei ihr noch nicht eingestellt.

Mams läßt den Pfeiftopf länger als nötig auf der Platte. Opa Friedrich drückt das halbe Butterbrot ungekaut in seine Backe. Fränze hat ohnehin kein Bedürfnis, sich über Stimmungen zu unterhalten oder von Mams irgendwelche Anweisungen für die Schule zu bekommen, und bricht vorzeitig auf: »Macht's gut.«

Mams kann ihr gerade noch ein Tschüs nachrufen, und Opa tutet mit vollem Mund wie ein Schiff im Nebel.

Sie mag es, aus dem Haus auf die Straße zu treten, wenn ihr der Hauch vor dem Mund steht und sie sich in den dicken Mantel kuscheln kann. Wenn es noch dunkel ist, die Straßenlaternen leuchten, die Autos mit ihren Scheinwerfern wie stählerne Tiere mit Glutaugen aussehen.

Mams kann den Winter nicht leiden. Vor allem morgens nicht. Sie würde lieber im Bett bleiben, anstatt in die Buchhandlung zu gehen.

So gelassen, wie er begann, verläuft der ganze Vormittag. Nichts in der Schule kann sie ärgern. Zwar wird sie immer wieder auf den Zeitungsartikel angesprochen, doch mit ein paar mürrischen Sätzen gelingt es ihr, die Neugierigen und die Neider abzuhängen.

Nach der Schule begleitet sie Holger bis vor die Haustür. Ihm vertraut sie an, daß sie zusammen mit Opa Friedrich

Johannes treffen wird. »Vielleicht wird doch alles gut«, sagt sie.

Holger hilft ihr, die schwere Haustür aufzudrücken. »Ich halte dir die Daumen, Fränze.«

Als sie dann in dem gammeligen Café um den kleinen runden Marmortisch sitzen und Johannes eine Zigarette nach der andern raucht, ist Fränze sicher, daß noch so viele gedrückte Daumen nichts nützen. Johannes benimmt sich verstockt, und die knurrige Freundlichkeit von Opa Friedrich nervt ihn.

Sie haben sich begrüßt.

»Na, Fränze«, hat Johannes gesagt.

»Na, Alter.«

Er hat Opa Friedrich erst einmal nicht zu Wort kommen lassen, vielleicht, weil er seine Vorwürfe fürchtete. »Es kann sein, daß ich gegen Herbert und unsere frühere Firma prozessiere. Die sind mit mir umgegangen wie mit dem letzten Deppen. Und das nach all den Jahren. Die haben natürlich auch ihre Argumente. Klar. Ich habe aber ein Angebot bekommen. Nicht von hier. Aus Hamburg. Wenn ich weggehe, bin ich alles hier los.«

Fränze hat nicht genau hingehört, sich in dem kleinen Raum umgeschaut, den weißhaarigen Mann hinter der Espresso-Maschine beobachtet, aber nun ist sie ganz da. Sie tritt Opa Friedrich unter dem Tisch; der runzelt bloß ein wenig die Stirn, und seine dicken Augenbrauen kriechen verdrossen aufeinander zu.

Johannes redet und redet. »Ich weiß, ich trinke zuviel. Ich beschäftige mich nur mit mir selbst, bin wehleidig. Das könnt ihr mir vorwerfen ...«

Fränze faßt Mut, unterbricht ihn, und ihre Stimme schnappt beinahe über: »Du willst wegziehen? Und wir?«

Er fährt sich mit der Hand über die Augen, als schmerzten sie. »Das sind Pläne.« Er sieht an Fränzes Kopf vorbei. In seinen Augen spiegeln sich winzig die grünen Lampenschirme über den Nachbartischen.

Sie läßt sich nicht ablenken. »Und wir, Mams und ich?«

Er senkt den Kopf und rührt wild in der Kaffeetasse. »Das muß sowieso noch geregelt werden.« Seine Stimme wird flach und schneidend. Sie schneidet auch irgendwas in ihr durch.

Sie antwortet so laut, daß es alle Gäste im Café hören können: »Wir sind dir doch Wurscht. Du willst doch weg. Du brauchst uns doch gar nicht mehr.«

Sie sitzen wie auf einer Bühne. Johannes glotzt sie mit offenem Mund an. Auf diesen wütenden Ausbruch ist er nicht gefaßt.

Opa Friedrich drückt mit der Hand Fränzes Arm, nicht fest, sondern weich und beruhigend: »So, wie es aussieht, hast du recht, Fränze. Genaugenommen weiß mein Sohn Johannes nicht ein noch aus. Nur eines möchte er um Himmels willen nicht, daß wir uns in seine traurige Geschichte einmischen, ihm helfen. Er will das allein schaffen, Fränze.« Seine Hand schließt sich fest um ihren Arm. »Das heißt«, sagt er leise, wie für sich, »daß ihr, du und Bille, bis auf weiteres nicht mit ihm rechnen könnt.«

Fränze kommt sich ungeheuer verlassen vor. »Wirklich nicht?«

»Nein, wirklich nicht«, antwortet Johannes anstelle von Opa Friedrich, steht auf, drückt Opa Friedrich, der sich hochrappeln will, freundlich zurück auf seinen Stuhl, beugt sich über Fränze, haucht ihr aufs Haar, sagt: »Mach's gut und grüß Bille«, und ist weg.

Zum ersten Mal zeigt sich Opa Friedrich der Lage nicht gewachsen. Er guckt Johannes verdattert nach und schlürft dann, in Gedanken versunken, seinen Kaffee.

Weil Fränze sich nicht anders zu helfen weiß, beginnt sie zu kichern. Opa Friedrich, zu ihrer Überraschung, ebenso. Im Grunde ist ihnen nach Heulen zumute.

Opa Friedrich zahlt, hilft ihr in den Mantel, läßt sich selber nicht helfen, und vor der Tür, mitten auf dem Gehweg, zwischen den vielen vorbeihastenden Menschen, zieht er sie an seine Brust und sagt: »Da kann ich nun auch nicht weiter. Da wird sich eine Menge ändern. Wohl auch euer Leben. Wir werden's schon deichseln, wir zusammen.«

Hätte er sie nicht festgehalten, wäre sie Johannes nachgerannt, nur, um ihm zu sagen, noch einmal zu sagen oder zum ersten Mal richtig zu sagen, wie gemein er ist.

Opa Friedrich macht ihr und sich selber Mut, indem er feststellt: »Die Bille wird nichts anderes erwartet haben. So wie ich sie kenne, hat sie sich wenig Hoffnungen gemacht.«

Fränze läuft neben ihm her. Die Schaufenster leuchten wie Theaterbühnen, und rund um den turmhohen Weihnachtsbaum vor dem Kaufhaus stehen Leute, die Würstchen essen. Das sieht aus wie in einem irren Film.

Siebzehn

Er will nicht zur Bahn gebracht werden. Nein, beteuert Opa Friedrich, Abschiede könne er nicht leiden. Er macht sich einfach davon, schnauft, wischt sich die Glatze blank, spielt mit der Mütze, packt sein zerdeppertes Köfferchen.

Sie stehen im Flur, umarmen sich ein aufs andere Mal, bis er »basta« ruft und Fränze und Mams ihm im Treppenhaus nachschauen.

Auf dem Absatz vor Frau Hilgrubers Wohnung hält er an, guckt hoch: »Das habe ich vergessen, Fränze, auf dem Tisch in deinem Zimmer findest du was. Johannes hat es mir für dich gegeben.«

Sie warten, bis unten die Haustür zuschlägt.

Was Fränze auf dem Tisch in ihrem Zimmer erwartet, kann sich tatsächlich nur Johannes ausgedacht haben. Es ist ein handgroßes Eselchen aus Holz, grau bemalt, mit einem bunten Stoffsattel auf dem Rücken. Es ist nicht neu. Johannes muß es in einem Trödelladen aufgestöbert haben. Der hölzerne Esel steht auf einem Blatt, das eine Botschaft enthält:

Guten Tag, liebe Fränze. Ich gehöre von heute an Dir. Hab mich lieb und behandle mich freundlich. Eines meiner Beine war schon mal gebrochen, und der weise Vogel Uhu hat's behandelt. Dein Johannes, der mich aus einem elenden Stall rettete, hat die Vorstellung, daß ich wachsen

könnte. Irgendwann mal. Auf echte Eselsgröße.
Bis dahin will ich dich unbedingt begleiten.

Sachte fährt sie dem Eselchen über den Rücken, der warm wird von ihrer Hand.

Am nächsten Tag ruft Johannes an und berichtet knapp, daß er für zwei Tage in Hamburg sein werde. »Verhandeln«, sagt er. »Vielleicht wird's was«, sagt er. »Grüß Bille«, sagt er. »Auf bald.«

»Danke«, sagt sie, »schönen Dank für den Esel.«

Es kommt ihr vor, als sei sie wochenlang gerannt. Nun wartet sie auf dem Bahnsteig mit Mams auf den Zug und atmet ein paarmal tief durch.

Nur noch wenige Reisende sind unterwegs. Rund um den großen Weihnachtsbaum in der Bahnhofshalle hat sich der Rummel gelegt. Vielleicht stellt sich deshalb eine ungewohnte Festlichkeit ein.

Fränze faßt suchend in ihre Reisetasche, nach dem Esel.

Der Zug fährt ein. Sie müssen nicht drängeln, können sich ihre Plätze aussuchen. Obwohl Mams bittet, der Kälte wegen das Fenster zuzulassen, zieht Fränze es herunter und lehnt sich hinaus. Sie glaubt zu träumen: Johannes läuft den Bahnsteig lang.

Fragend dreht sie sich zu Mams: »Hast du Johannes gesagt, wann unser Zug fährt?«

Mams nickt.

Außer Atem hält Johannes vor dem Fenster. »Grade noch geschafft.«

Er faßt nach Fränzes Hand. Mams schiebt sich neben sie.

»Grüßt die Eltern.« Mit der freien Hand holt er umständlich ein kleines Päckchen aus der Manteltasche: »Das ist für sie.«

»Und du?« fragt Fränze. Im Grunde möchte sie wissen, wo er Weihnachten feiert, mit wem? Ob er nicht doch lieber mit ihnen fahren möchte? Ob er traurig ist?

»Wie lief das in Hamburg?« fragt Mams.

»Ich zieh um, bald.«

»Und klappt das mit dem Job?«

Er zieht die Schultern hoch, macht seine Augen klein. »Auf alle Fälle gehe ich nach Hamburg.«

»Ja?« Die Frage springt Mams wie ein kleiner, flügelschwacher Vogel von den Lippen.

Der Schaffner pfeift. Johannes quetscht wie toll Fränzes Hand. Dann läßt er sie los. Der Zug fährt an, wird schneller. Ein Stück läuft er neben ihnen her.

»Mach's gut, Johannes«, ruft sie.

Er stoppt im Lauf, winkt und ruft: »Mach's besser, Fränze!«

Mit einer heftigen Bewegung schiebt Mams das Fenster hoch und läßt sich in den Sitz fallen.

Fränze bleibt stehen und drückt ihre Stirn gegen die kalte Scheibe. Die Erschöpfung breitet sich schmerzhaft in ihrem ganzen Körper aus. Sie holt den hölzernen Esel aus der Tasche und wärmt ihn mit ihren Händen.